科學史上最有梗的20堂地科課

下

25部LIS影片 讓你秒懂地科

胡妙芬、LIS情境科學教材 ── 文
陳彥伶 ──────────── 圖
羅立 ───────────── 審定

作者序

科學史給科學教育的啟發

2015年底，LIS開始了科學史教材的研發，也很幸運的能夠得到各界支持，讓LIS能夠持續製作幫助孩子培養科學素養的教材。我們一路從化學史、物理史做到地科史、生物史，在過程中深深了解「以古鑑今」的道理。因此，我們希望透過科學史系列叢書、影片，把我們從科學史看到對學習科學很有幫助的部分，呈現給大眾。

相同之處的啟發

在製作科學史教材的過程中，我們發現絕大部分科學家的研究，都起因於對現象的困惑，進一步產生好奇心驅使科學家往下研究。像是化學家在解剖死掉的青蛙時，觀察到蛙腿竟然會自己跳動；物理學家注意到只要水井超過10公尺深，水就沒有辦法被抽上來；地科學家計算出地球白天在太陽的照射下，平均溫度應該會超過攝氏100度，但實際上只有大約攝氏30度。雖然水井已經不在我們的日常生活，平常也沒有機會接觸到青蛙解剖，但如果我們可以把這些充滿啟發的現象，透過文字、影像的方式重現，或許我們就能夠讓孩子在學習科學時，也像科學家一樣充滿好奇。

綜觀科學史，我們會發現絕大多數的科學概念，都建立在前人之上；科學家們總是先找出了自然現象中的某個規律，再進一步深究這些規律背後的原因。也就是說，如果缺少了前人提出的基礎概念，那麼許多現在我們能學到的進階概念，可能變得難以理解，或是根本不會被提出來。就好像，如果不知道我們能看見物體是因為「物體把光反射到眼睛中」以及「白光是由不同色光所組成的」，我們也將難以理解物體的顏色是因為只有部分色光反射所導致。因此，科學史讓我們了解科學概念的學習順序，我們也希望藉此，讓孩子可以一步步建構起完整的知識架構。

不同之處的啟發

　　雖然物理、化學、地科、生物在發展上有許多相似之處，但本質上也有許多巨大的差異。化學家們往往被燃燒、冒泡、發生顏色變化等，像魔術一樣神祕、迷人的現象所吸引，並努力探究背後的原因，好比說化學家會去研究物質為什麼會燃燒。而物理學家則剛好相反，他們研究的往往是生活中平凡無奇的現象，也不深究現象發生的原因，而是試圖用一個簡單的規則來描述這些現象，像是物理學家會研究什麼因素影響了物體的運動，但是他們並不會去研究為什麼物體受到力就會產生運動。

　　最後，地球科學家研究的對象則是那些時間、空間尺度比較大的現象，例如山脈是如何形成的、地球的內部長什麼樣子。也因為他們研究的對象很複雜，地球科學家們往往需要運用許多化學家、物理學家所提出的科學概念來幫助研究、分析，甚至是提出理論。這或許也是我們會把地球科學安排在九年級來學習的原因，因為唯有熟悉了基本的科學概念，我們才能夠去了解、探究更複雜情境的科學現象。

　　在閱讀這套《科學史上最有梗的20堂地科課》時，強烈推薦搭配《科學史上最有梗的20堂化學課》以及《科學史上最有梗的20堂物理課》一起服用，除了讓您在閱讀本書時有充分的化學和物理知識來了解科學家的探究過程，也能夠學習化學家超級有創意的想像力，以及物理學家試圖歸納世界規則的精神。

　　相信這套《科學史上最有梗的20堂地科課》，在透過胡妙芬老師的文字，以及陳彥伶老師的繪圖下，不只能夠讓您深入淺出的了解地球科學知識概念，還能夠讓您清楚理解並學習地球科學家們是如何應用化學、物理的知識，來解決問題，並一步步揭開地球神祕的面紗。

鄭弼升

LIS情境科學教材 科學史教材內容監製

 **推薦序 I**

從漫長的科學發展史中找出最有意思的新梗

在課堂上同時講到科學與歷史，簡直是教師最大挑戰與學生最甜蜜夢鄉的大雜燴。

「都已經發生過了，為什麼還要再講一遍？」

「講來講去一堆人名，記住有什麼用？」

「能夠不用聽一堆專有名詞，改聽科學家的故事真是輕鬆多了。」

我想很多學子在面對茫茫書海時，心裡面或多或少都飄過這樣的想法吧？但難道科學史真的是一門這麼讓人望之卻步或是聞聲入夢的學問嗎？

科學家哪有這麼天才？一切都是淚水、汗水與口水！

科學史正如所有歷史一般，常常提醒我們現在習以為常的事，並不是「注定」會發生的事，反而可能是一連串的誤打誤撞，甚至是巧合與衝撞下的產物。

《科學史上最有梗的20堂地科課》告訴我們的正是這樣一系列精采的故事！

比如書中一章提到「地球是圓的」，這並不是等到太空梭與衛星照相發明後才證明的事實，也不是今天才有人想到的概念，而是在2000多年前就有人用「觀測」與「數學」推導出來的事情，而且結果居然跟現代精準的量測數字相差不到2%！

還有，人類到底從怎麼只從站在地球上觀察到日月星辰的運動，就能理解原來地球只是太陽系，甚至銀河到整個宇宙中小小的一個點？不同學者又是如何一步一步在各種困難中找到突破的想法，堆砌出來我們今天對於宇宙的認識？而科技的進展，又能怎樣進一步讓人類開拓出未知的新挑戰？

科學史不斷告訴我們，人類對於世界的好奇心沒有時空分別。

儘管不同時代有不同的限制與挑戰，可能是技術上的，也可能是社會環境上的，但這些限制都沒有辦法阻擋人類的思考。不管環境帶來再多的壓迫和挑戰，人們或者站出來大聲疾呼，或者默默埋藏與琢磨自己的想法許多許多年，但總是不放棄任何一點留下思考過程與結果的機會，讓後來的人們可以找尋到新的突破口。

結論雖然重要，但過程才是亮點！

在教學課堂上我常常提醒自己，也希望能帶給學生這樣的訊息：現代知識這麼多、這麼容易取得，最重要的已經不是記得多少人的名字，或是知道多少個計算公式。而是回過頭來想，某些特定的問題是怎麼被提出來的？是利用什麼樣的方法推導出來？研究者又是怎麼利用當初推導這件事的創意？

比如說書中提到蘇格蘭地質學者詹姆士·赫頓，他在面對重要爭議時，並不是單純跳進去打筆戰，或是盲從其他人的論點，而是帶著心中的假設與疑惑親身走進田野調查，尋找證據來修正與鞏固自己的假說；又或是韋格納怎麼透過觀察與證據，推斷出古代盤古大陸的存在，進而提出了在當時聽來荒謬的見解。最終這些科學家將理論與實作並進，整合並革新了當時的學說，深深影響了後世地球科學的發展

如果讀者跟我一樣，面對自然環境心裡面總是有不少疑惑，我相信這套書可以為您帶來許多閱讀的樂趣，以及有趣的新知。但我相信更重要的是，透過閱讀這套書讓我們重新理解每個習以為常的認知，其實都是不容易的突破，而現在的我們站在現在的地球面前，又還有哪些挑戰呢？

讓我們一起來翻開科學史，而不只是用螢光筆畫上他們的結果，看看這些跟你我一樣是「平凡人」的科學家想破頭與靈光乍現的時刻，說不定你也能像赫頓一樣，從八竿子打不著的地方得到破解難題的靈感！

羅立

國立臺灣大學地質科學系助理教授

推薦序2

教育前線與科學思辨的距離

「星垂平野闊，月湧大江流」，這是來自杜甫《旅夜書懷》中的一段文字，也是我們在課堂上用來引導學生思考的一個問題。因為學生常常用星星「高」掛在天空來描述夜晚所見的景象，那在什麼樣的情境下，古人才會看到繁星低「垂」於夜空呢？這兩個動詞的使用方法不同，正是意味著所處時空環境的差異所致。

身處建築物叢聚且光害嚴重的現代，人們往往只能看到頭頂的亮星，因此會用「高掛」來描述對它的觀察。對於「垂掛」呢？學生通常會回答說在綠島、蘭嶼這樣的小島，就有機會見到滿天星斗垂掛於夜幕。此時，我們會趁機追問：「這時候環繞四周觀察，所看到的天空會像什麼形狀？」這個問題有助於他們了解古人如何從直觀經驗出發，形成了「天圓地方」的概念。而從歷史觀點來看，古代的自然哲學家對於地球科學的相關思考，也大多是起源「地球的形狀」這個問題。

從觀察認識世界 卻從背誦理解科學？

華文世界中，我們所使用的「地球」一詞，意謂著我們所居住的行星外觀為球形，因此學生會理所當然的接受地球形狀是圓形的。然而，國外對孩童所持有地球形狀概念的相關研究顯示，不同文化的孩童們都普遍認為地球是平的（或是碟狀平盤），推論這應是受兒童個人的直觀經驗導致。這也意味著從古至今，人們認識自然界通常是從自己直接感官經驗出發，然後再慢慢透過經驗的統整，或者是與他人的溝通，而後才是進行更多的學習，也包含進入學校體制的科學教育。

過去臺灣的科學教育（特別是中小學的科學課程），常以「科學產出的最終形式」

作為教學與學習的重點，也就是科學知識、科學定律、公式，透過記憶背誦與反覆演算來學習科學，所在意的大多是「知識的正確性」。但這樣的做法卻忽略了科學其實是一種求知的「過程」，也就是如何從現象的觀察出發，進而發現問題、推測甚至實驗，最後對探究結果進行論證與溝通。本套書許多內容恰可補足上述的科學求知過程，並作為教學與學習的補充資料。例如：上冊第34頁中關於月相盈虧的4個線索，可以作為現象觀察後的歸納與邏輯推理訓練；再如學生最易產生迷失概念的潮汐成因，則可透過上冊第77到87頁中，牛頓如何從流星索開始思考，最後解開了地球海水潮汐是受到月球與太陽的共同影響，來引導觸類旁通的思辨歷程。

由宗教到實證 地球科學的典範轉移

　　若從另一個角度來審視地球科學的發展史，我們還得注意一個問題：關於許多地球的科學研究理論，大多始於文藝復興時代，當時的學者幾乎都是從周遭生活環境的觀察出發，進而形成自己研究的方向與理論，並沒有一套共同遵守的科學研究方法與標準。但十八世紀後，因為科學社群與科學期刊的流通、工業革命興起與宗教力量式微等原因，促使了現代的地球科學萌芽。特別是因應礦業的興盛，岩石、礦物與化石相關分類知識不斷增加，地質學開始被視為一門科學，進而透過檢驗地殼中的岩石成分與化石，讓人了解地球實有長遠歷史，而不是某些宗教聲稱僅有數千年的時間。

　　最後，建議使用此套書教學的老師，可以補充「時間尺度」與「空間尺度」的概念，兩者都是地球科學有別於其他學門的特徵，並透過大陸漂移、海底擴張到板塊構造學說的發展舉例。因為造成現今地表地貌形成的力量，可說是以百、千萬年的時間尺度在進行，所造成的影響也不只是地質變化，還可能是全球海洋、氣候系統的變化。

洪逸文、王靖華

國立臺灣師範大學附屬高級中學地球科學教師

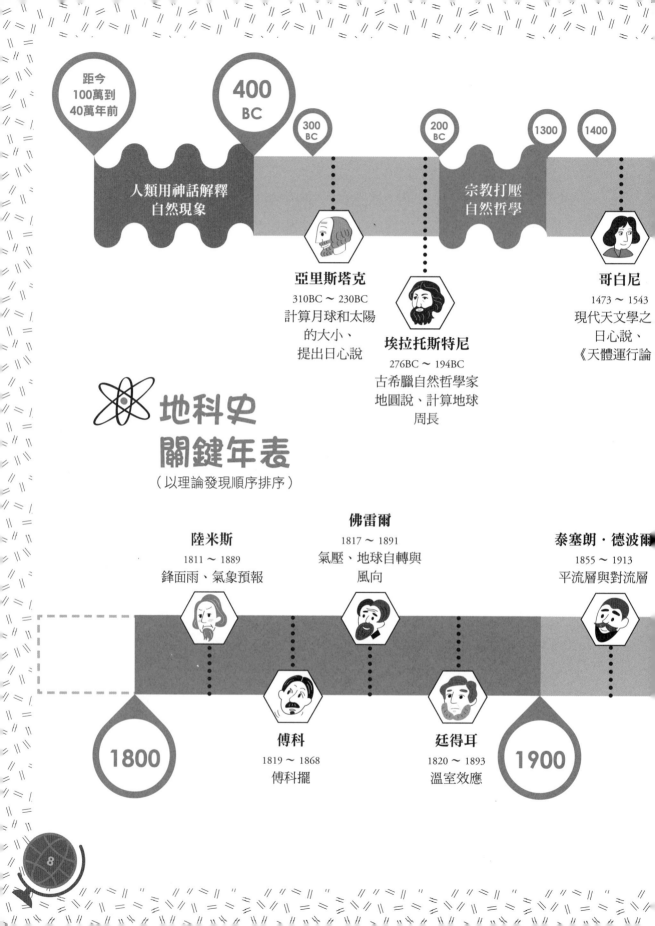

距今
100萬到
40萬年前

400
BC

300
BC

200
BC

1300

1400

人類用神話解釋
自然現象

宗教打壓
自然哲學

亞里斯塔克

310BC ～ 230BC

計算月球和太陽
的大小、
提出日心說

埃拉托斯特尼

276BC ～ 194BC

古希臘自然哲學家
地圓說、計算地球
周長

哥白尼

1473 ～ 1543

現代天文學之
日心說、
《天體運行論

地科史
關鍵年表

（以理論發現順序排序）

陸米斯

1811 ～ 1889

鋒面雨、氣象預報

佛雷爾

1817 ～ 1891

氣壓、地球自轉與
風向

泰塞朗・德波爾

1855 ～ 1913

平流層與對流層

傅科

1819 ～ 1868

傅科擺

廷得耳

1820 ～ 1893

溫室效應

1800

1900

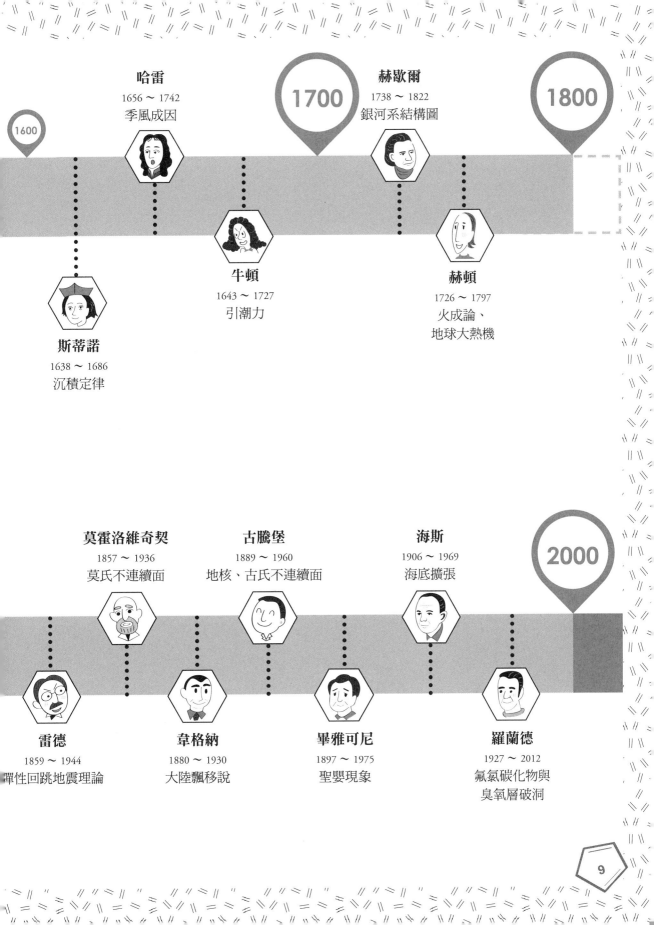

哈雷
1656 ～ 1742
季風成因

1700

赫歇爾
1738 ～ 1822
銀河系結構圖

1800

1600

牛頓
1643 ～ 1727
引潮力

赫頓
1726 ～ 1797
火成論、
地球大熱機

斯蒂諾
1638 ～ 1686
沉積定律

莫霍洛維奇契
1857 ～ 1936
莫氏不連續面

古騰堡
1889 ～ 1960
地核、古氏不連續面

海斯
1906 ～ 1969
海底擴張

2000

雷德
1859 ～ 1944
彈性回跳地震理論

韋格納
1880 ～ 1930
大陸飄移說

畢雅可尼
1897 ～ 1975
聖嬰現象

羅蘭德
1927 ～ 2012
氟氯碳化物與
臭氧層破洞

# 目錄

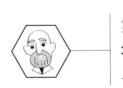

本書特色

這是一本結合科學史、科學理論解析,以及科學家人物故事的超有趣科普書。

1　故事主文會告訴你重要的地科理論是怎麼出現及演進歷程。

2　人物專欄要帶你認識眾多科學家不為人知的祕辛。

3　「快問快答」單元專門回答你對地科的疑難雜症。

4　跟著「LIS影音頻道」掃描QR Code,就能看到相關影片,學習更全面。

出場人物

魯芙	LIS老師	嚴八
雙魚座	天秤座	射手座
14歲	年齡不詳	14歲

凡事認真，愛笑又愛哭的中學女生。喜歡物理、化學，更喜歡用物理、化學方法研究出來的地球科學。這學期，科學史研究社的LIS老師終於要開講地球科學的發展史，說什麼也要拉著好友嚴八趕快去聽。

科學史研究社的社團老師，頂著正字標記的一頭鬃髮，是個性浪漫的文青，也是邏輯嚴明的科青。繼化學史和物理史之後，這學期準備挑戰繼續說故事讓學生愛上地球科學。

滿臉雀斑的大男孩，討厭考試與教科書。因為被魯芙拉去參加科學史研究社，已經相信 聽故事就能愛上科學。不過，老是跟著魯芙聽課，已經分不清自己是愛上科學還是愛上魯芙了。

13

歡迎大家再度來到科學史研究社。
我是LIS老師。

接下來的地科歷史也很精采喔！
我們要一起研究地震、地函、
地核、風向、海流……

第10課

「看見」地球自轉

傅科

在　歷史的長河上，人類提出「地球自轉」的時間相當早。早在西元前五世紀，古希臘就有一批自然哲學家，在幾乎沒有任何天文觀測工具的情況下，提出「地球是球形，而且會自轉」的原始概念。

　　這一批神奇的自然哲學家以畢達哥拉斯（Pythagoras，570BC～495BC）為精神領袖，人稱畢達哥拉斯學派。他們相信「數學」可以解釋世界一切的現象，「數字」則充滿美感，象徵各種不同的特質或美麗情操。比方說，1代表純潔、4代表正義，而10則是一個完美的數字，因此天上必定存在十個天體：土星、火星、木星、水星、金星、太陽、月球、地球、反地球、中心火⋯⋯聽起來很玄，是吧？

畢達哥拉斯正在為一群女性講課，他認為女性也應該學習自然哲學。

　　在西元前四到三世紀，支持地球自轉的希臘哲學家還是不少，包括我們在第二課提到的亞里斯塔克，甚至提出地球還繞著太陽公轉；對地球自轉投反對票的人當然也有，像是西元前四世紀的亞里斯多德，就批評畢達哥拉斯學派的說法是基於理論，而不是觀察。但亞里斯多德自己「基於觀察」，卻觀察出一個所有天體都圍繞地球旋轉，而地球自己卻靜止不動的宇宙模型。

身在其中難以察覺

這句「基於觀察」聽起來明明比較科學，怎麼觀察出的結果反而離事情真相更加遙遠呢？其實其中原因想起來也很簡單，因為人類實際生活在地面上，跟著地球一起轉動，人們再怎麼觀察，都不會感覺到腳下的地球正在旋轉。

反倒是地球在轉動的想法，跟一般人感受到的日常現象相去甚遠，像是大天文學家托勒密（Claudius Ptolemaeus，100～168）就認為地球自轉的想法很瘋狂，因為地球如果急速轉動的話，地面上的一切都會被狂風摧毀。

地球不要再轉啦～

到了西元十世紀，世界的學術中心換到了阿拉伯世界。一些信奉伊斯蘭教的天文學家，也接受了地球自轉的觀點。他們認為，每天晚上我們看到的星星在移動，是由於地球自轉的結果——是地球上的我們在動，而不是星星自己真的在動。

這些阿拉伯學者寫了不少論文討論地球自轉的可能性，反而古希臘真正的傳人——中世紀的歐洲，陷入了亞里斯多德的錯誤觀點。因為亞里斯多

德的地心說和地球不動理論，比較符合基督教教會的教義，所以被教會納入教條，強迫所有人都要相信。

　　直到西元1543年，哥白尼提出日心說以後，人們才開始建立地球自轉的概念。哥白尼認為畢達哥拉斯學派的理論雖然有瑕疵，但是對於地球會自轉的觀念是正確無誤。所以到這裡，人類關於地球自轉的「理論」基本上是確立了，但是實際上的證據呢？雖然沒有人能夠「直接」看到地球轉動，總不能連一個「間接」證明的證據都沒有吧？

旋轉吧！有點扁的地球！

　　很抱歉，在哥白尼之後的300年裡，的確沒有人能夠提出直接明確的證據，但是一些間接的支持是有的。比方說，大科學家牛頓認為，如果地球不停的繞著自轉軸旋轉，那麼離心力應該會讓地球變「扁」，也就是赤道會比較突起，而南北極變平。

　　牛頓利用數學方式預測，這種變扁將以1：230的比例發生。到了1730年代，科學家莫佩爾蒂（Pierre Louis Moreau de Maupertuis）經過測量，確認了牛頓的預測，不但間接支持地球自轉的理論，自己也成為最先確定地球形狀為扁球形的第一人。

皮埃爾・路易・莫佩爾蒂
1698～1759
法國數學家、物理學家

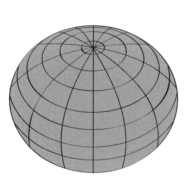

莫佩爾蒂的地球　　　　　　　卡西尼的地球

　　1730年代，地球的形狀成為學界爭論的焦點。莫佩爾蒂根據牛頓的主張，認為地球是近扁球形的；但他的競爭對手雅克‧卡西尼（Jacques Cassini，1677～1756），卻認為地球是長球形的。為了平息這場爭論，莫佩爾蒂在1736年率領遠征隊到芬蘭，去測量經度1度的長度，再和其他地區相比，澈底證明了地球是扁球形的無誤。

　　除此之外，牛頓和其他科學家也認為因為地球自轉的關係，從高處墜落的自由落體應該會向東偏移。虎克（Robert Hooke，1635～1703）聽從了他的建議，曾經從8.2公尺的高處丟下物體，卻沒有得到明顯的結果；到了十八世紀末和十九世紀初，其他科學家把物體提高到158.5公尺，結果偏移了2.74公分，才證實了牛頓的想法。

　　這個漫長的爭議一直到了十九世紀中葉，一位機械高手才用他精湛的設計巧思，讓大家用眼睛「看見」地球自轉的效應。這位高手名叫里昂‧傅科（Jean Bernard Léon Foucault）。他先是測出了光線在水中的速度比空氣中慢（請見《科學史上最有梗的20堂物理課》第十九課），後來又發明「傅科擺」，顯示了地球自轉，這兩個都是高難度的實驗設計。接下來就讓我們看看，這位高手是如何讓地球自轉的效應，神奇的顯現在人們面前吧。

萬神殿的科學演示

尚・伯納・里昂・傅科

1819～1868

法國物理學家

傅科出生在法國巴黎一個富裕的家庭。他天生頭腦聰明，擅長設計實驗用的機械裝置，但是身體卻體弱多病，一眼嚴重近視、一眼嚴重遠視。他的媽媽很寶貝這個身體不好的孩子，所以捨不得他離家上學，一直讓他待在家裡，聘請家庭教師來教他讀書寫字。

傅科長大後成為一位青年才俊，天資聰穎的他在家人的期許下，進入巴黎斯坦尼斯學院（College Stanislas Paris）就讀醫學系。聰明的傅科在學習上幾乎沒有遇到任何問題，甚至在實驗課上展現手作功力，深深獲得指導教授多恩（Alfred Donné，1801～1878）的欣賞。

不過，等到進入人體解剖課程的時候，傅科才發現自己有相當嚴重的恐血症，一見到血就頭暈，根本不是一塊學醫的料。還好，多恩教授不希望他在機械設計方面的才華就此埋沒，所以把他收留在身邊，充當研發醫療器材方面的助手。

就這樣多年過去，傅科在設計醫學檢驗用的顯微鏡上，展現了製作光學儀器的專業。法國法蘭西學院的光學物理學者菲左（Armand Fizeau，1819～1896），邀請他進入自己的團隊，一起開發研究太陽光線的實驗器材。

可惜，傅科和菲左合作6年後，因為多次在光學實驗中採用另一位學者阿拉戈（Dominique François Jean Arago，1786～1853）的想法，菲左與阿拉戈不合，所以兩人發生了嚴重的摩擦（請見《科學史上最有梗的20堂物理課》第十九課）。後來，受不了的傅科只好離開菲左的光學實驗室，改與阿拉戈合作，一方面探討太陽光的性質，另方面也投入「地球自轉」的研究。

1847年，傅科二十八歲。有一天在組裝單擺大鐘的時候，突然發現擺錘會不聽使喚的撞擊其他零件。

「奇怪了，怎麼會這樣？」傅科看著擺錘一臉疑惑，「理論上，單擺只會順著同一個方向來回擺動，這個擺錘怎麼會亂跑，一直撞到直線以外的方向去呢？」單擺如果沒有受到擺盪方向以外的力，應該只會依照慣性在直線上擺盪，這是一條簡單的慣性定律，傅科操作過幾百次了，這次照理說也不應該例外。

怪了這鐘好端端的，
怎麼會歪去
撞其他零件呢？

遇到這種奇特現象，傅科不打算隨便的忽略過去。因為有時候有些科學奧祕，就藏在這種看似怪異、不合理的細節裡。

「啊，我想到一件事……」正當傅科直著眼盯著不聽使喚的單擺看時，他突然回想起，之前他為了設計地球公轉的實驗器材時，曾拜讀法國機械工程師帕松（Siméon Denis Poisson，1781～1840）的研究論文。這位帕松曾在他的論文中提到，德國有一位名叫萊許（Ferdinand Reich，1799～1882）的科學家，曾利用很深的礦坑做過丟鐵球的實驗。

他記得在這個實驗結果中，明明鐵球沒有受到其他外力的影響，卻掉在垂直落點以東大約2.74公分處的地方。

「這跟我的時鐘單擺有點類似。」傅科想道，「明明沒有外力，卻偏離了原來的直線軌跡，這到底是什麼原理？」傅科把記憶中的論文內容，又從頭到尾搜尋了一遍。

「我想起來了，帕松還有提到一位科學家——科里奧利（Gustave Gaspard de Coriolis），用科里奧利的力學理論來分析，可以解釋萊許的鐵球偏移的現象。」

嘻嘻，當初斯蒂文（Simon Stevin，1548～1620）在教堂塔丟球的時候可沒發現這點，看來老實驗也能玩出新火花。（請見《科學史上最有梗的20堂物理課》第四課）

科氏力就是我發現的喔！

古斯塔夫・科里奧利
1792～1843
法國數學家、工程學家

傅科記得帕松透過科里奧利的理論解釋：地球會自轉，但是地球上的人們因為長時間跟著地球旋轉，所以感覺不到轉動，反而以為地球是靜止的！其實，根據慣性定律，地球上不管是人或各種物體，都是和地球表面一樣，用相同的速度不停的由西向東旋轉。

不過，重點來了。地面上的物體和在深坑裡的物體，旋轉速度都是一樣的嗎？答案是——錯！同樣是旋轉一圈的時間，在地表上的物體繞比較大圈，而在深坑裡的物體繞比較小圈。

這就像跑操場的時候，同樣跑一圈，外圈的跑者實際上比內圈的跑者跑的距離長。因此，地表物體的轉速快，越深入地下的物體則轉速越慢。所以鐵球從地表落下時，帶著較快的旋轉速度；等到它掉落在深坑底時，位置當然會向東偏移，因為坑底的物體旋轉速度慢，鐵球不可能掉在原來位置的垂直正下方！

操場越外圈，一圈的距離愈長。

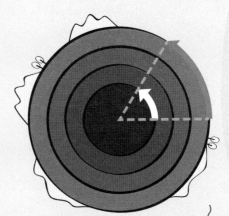

越接近地心（自轉軸），自轉一圈的距離越短，所以轉速越慢。

「原來是這樣。我知道了！單擺偏轉的問題也可以用同樣的方法來分析！」傅科舉一反三的速度很快，不愧是機械設計的天才高手。

「單擺的擺錘在開始擺動以前，也是和時鐘的外殼一樣，跟著地球表面的速度旋轉。一旦單擺離開地球表面，開始自由的在空中擺動以後，會因為慣性而維持原本的運動方向。」傅科一步步推論，「而時鐘的外殼和其他零件持續與地球表面接觸，會和自轉中的地球一起做圓周運動。所以，離開地表的物體就算沒有受到外力，也會慢慢出現順時鐘的偏移。」

「這看起來好像是單擺的擺錘偏移了，但實際上是時鐘的外殼或零件跟著地球在旋轉，才造成擺錘撞到其他零件的現象。」傅科越想越興奮，「沒錯，理論上就是這樣。但是我要如何說服其他人呢？」

傅科知道，眼見為憑，與其理論上講了一大堆，不如設計出一個能讓人一目了然的裝置會最有說服力。他設計機械的豐富經驗，再一次派上用場。

為了避免單擺受到空氣阻力的影響，他把擺錘的重量加大到5公斤；為了讓人能夠很容易看出單擺的偏移現象，他在擺錘下端加上尖尖的錐狀結構，使擺錘得以在底下直徑6公尺的沙池上畫出偏移的軌跡；為了讓擺盪現象明顯，傅科也將擺繩拉長到2公尺，並將單擺放在無風的室內進行實驗。

結果在不到1分鐘的時間裡，單擺的軌跡就已經偏移了3毫米；而且長時間計算下來，這個單擺每小時大約向順時鐘方向偏轉11度。

「啊哈，果然不出我所料。如果能把擺長拉的更長、擺錘加的更重，我想單擺偏移的現象會更明顯，就連社會大眾也都能明顯看出來的！」傅科這時心中充滿了自信。

法國萬神殿裡的傅科擺。原來的沙盤現在已改為標有角度數值的板子。

在1851年，傅科按照他的設計理念，在法國萬神殿吊掛了一座放大版的單擺裝置。這座單擺的擺繩有67公尺、擺錘有28公斤；擺錘下方照樣擺上沙盤，讓參觀的民眾可以很清楚、直觀的看出來，地球自轉造成單擺偏轉的效應。這種單擺裝置，後來被稱為「**傅科擺**」；因為地球自轉而造成物體偏轉的力，則稱為「**科里奧利力**」（簡稱為「**科氏力**」）。

傅科設計的傅科擺，終於讓人們能夠很清楚的「看見」地球自轉的事實，很快就造成很熱烈的迴響；世界各地不少博物館都爭相模仿，在館內吊掛傅科擺，希望吸引遊客並能同時達到科學教育的目的。

科氏力雖然叫做「力」，但不是一種真正的力，它是因為地球自轉而造成的偏移現象。

直至今日在美國紐約聯合國總部、俄勒岡州州議會廳和法國萬神殿裡，都能見到傅科擺的身影。

現在我們知道，在北半球，傅科擺會順時鐘偏轉；在南半球，傅科擺會逆時鐘偏轉。不只如此，跨國班機、導彈或衛星等長途飛行的物體，在規畫路線時都要把科氏力考慮進去，才能準確的到達目標。

雖然科里奧利沒有進行氣象學研究，但是翻開氣象學，卻到處可以看到科里奧利的鼎鼎大名。因為科學家們後來發現，科氏力也會影響風、雲的方向，造成天氣變化，所以科氏力在氣象學上的應用非常廣泛。想知道這些天氣祕密是怎麼被發現的嗎？請見下一堂課威廉‧佛雷爾的介紹，答案就會揭曉囉！

快問快答 |||||||||||||||||||||||||||||||||||||||||||||||||||||||||||||||||||||||||||||||||||||||||

1 LIS老師提到科氏力在氣象學應用非常廣泛。我記得颱風在北半球是逆時鐘轉、南半球則是順時鐘轉,那在赤道上會怎麼轉呢?

這個問題要從颱風的形成講起。颱風剛「出生」時是在熱帶海面的低氣壓中心,當空氣從四周高氣壓往中心的低氣壓流動時,在科氏力影響下,空氣流動會「向右」(北半球)或「向左」(南半球)偏轉,導致慢慢形成氣旋,最後發展成颱風。

換句話說,科氏力是颱風形成的必備條件之一。不過赤道附近的科氏力非常微弱,就算有低壓中心,空氣流動也不會偏轉,當然也沒有機會形成颱風囉!

2 聽說因為科氏力,在北半球沖馬桶時水流會逆時鐘旋轉,而在南半球會呈順時鐘旋轉,這是真的嗎?

這是個謠言,只要每次在不同地方上廁所時都觀察一下,就會發現順時針、逆時針的水流都有。

這是因為科氏力跟地球自轉的速率有關。地球一天轉滿一圈,把時間跟旋轉度數相除下來,1秒只旋轉了約0.004度,所以任何在幾秒內就結束的狀況,受科氏力影響都相當薄弱。對於在1秒中轉上好幾圈的馬桶水流來說,反而是馬桶形狀、沖水方向、水流大小等因素,才是影響它如何旋轉的關鍵。

幹嘛一直盯著人家看啦!

3 按這樣說，丟棒球、籃球的時候，也不會因為科氏力而偏轉囉？

沒錯，普通人在地面上丟球的距離，比起地球半徑或自轉速度都微不足道，看不出科氏力的影響。除非你可以把球像洲際飛彈一樣丟到幾百、幾千公里之外，那麼就要事先計算科氏力的影響，否則就沒有辦法丟得準確。

不過我們可以變更設計，讓短距離傳球也能看到科氏力的影響，那就是改變旋轉的速度。只要讓兩人坐在能快速水平旋轉的裝置上傳球，當旋轉速度來到1秒可以旋轉一圈時，就能很明顯的看到傳球偏轉的效果了！

呃，小心點！

LIS影音頻道 ▶

【自然系列—地科｜科氏力】那天，人類「看見了」地球自轉

「地球在轉？我怎麼沒有被甩出去呀？」曾經這句話打敗了許多堅持地球自轉說的科學家，不過這次傳科可是有備而來，他要用一根繩子、一顆鐵球，讓你親眼看見地球自轉！

第11課

風向的祕密

佛雷爾

在十九世紀，隨著溫度計、氣壓計等測量工具普及，加上在世界各地不斷建立的氣象觀測站，累積了越來越豐富的氣象資料，投入氣象研究的人也越來越多。人們開始體會到氣象研究對所有人的生活、工作、安全、財產影響很大，這也使得氣象學在十八、十九世紀成為廣受重視的熱門科學。

在上冊第六課我們提到，哈雷在1686年利用在南半球觀測星空時順便收集的風向資料，以及航海家們在全球各地記錄的風向分布，發現了風會從較低溫的南、北緯30度區，吹向較高溫的低緯度區。從那時候起一直到十九世紀，有超過一個半世紀的時間，人們一直把「氣溫差異」當作是決定風向的主要原因。

這個傳說是真的？

水手間的航海傳說

但是到了十九世紀初，水手們和氣壓計的製造者發現一個奇怪的現象：每當一個地方的氣壓開始下降時，那個地方就會變成「迎風面」。這件事對當時的人們來說非常神奇，難道風向跟氣壓有關？由於當時氣壓計才剛工業化生產不久，有人覺得很可能只是氣壓計的品質還不是很優良的緣故；加上有些出身富裕階級的專家們可能帶著刻板印象，認為水手們的知識水準不高，他們的經驗談沒有值得研究的價值，因此這「異常事件」也就只被當作水手們的航海傳說，沒有受到重視。

但是有位出身貧苦農家的學者卻相信，水手每天在海中與大風拚搏的第一手經驗非常珍貴，只是缺乏科學的仔細整理。這位名叫威廉・佛雷爾（William Ferrel）的氣象學者，前半生在困苦的環境中力爭上游，後半生成為世界公認的氣象權威，讓世人在不明的混沌中，越來越清楚這星球的風運轉的方向。

CH
11

氣壓、地球自轉與窮小子

威廉・佛雷爾
1817～1891
美國氣象學家

1817年，佛雷爾出生於美國賓州一個貧苦的農家，他的父親有愛爾蘭和英國血統，母親則來自一個德國家庭，一家在鄉下過著簡樸的生活，佛雷爾上的也是一所普通的地區學校。後來，他們全家搬到維吉尼亞州，佛雷爾平常都得在家幫忙務農，只有2年趁著冬天農暇之餘，到學校學習算術和語文，而所謂的學校，也不過就是當地一間簡陋的小木屋。

之後，佛雷爾一直輟學在家，手邊除了一份在馬丁斯堡發行的週報之外，就沒有什麼可以進一步研讀的了。求知若渴的他總是急切的等待每週發行日的到來，偶爾可以閱讀到一點點科學知識就相當滿足。

有一次，佛雷爾非常想買一本有關算術的書，但是他不敢向父親要錢，也不敢說自己想要這本書。一直到他在別人的田裡打工賺了50美分，才拿著錢打算到書店買書。

不料在書店一問才發現，這本書的價錢是62美分，可是他手上只有50美分，這下該怎麼辦？還好書店的老闆願意讓佛雷爾以50美分的價格買下這本書，終於滿足了他對知識的強烈渴望。

佛雷爾在晚年曾提到：「早年沒有科學書籍與科學協會，我手上經常沒有什麼特別讓我感興趣的東西，害我浪費了好多時間。」

看你這麼認真，便宜賣給你啦！

謝謝老闆。

終於，在他二十二歲那年，佛雷爾爭取到了到馬歇爾學院（Marshall College）讀書的機會，不過因為經濟考量，他只能在夏天的時候去進修數學課程；而且才上了2年，他的積蓄就已經見底，不得不去中學教書、存錢，直到1年後，才在伯大尼學院（Bethany College）完成學業，並在1844年獲得數學學士學位。

看我的書，年輕人你好眼光！

皮耶-西蒙・拉普拉斯

1749～1827

法國天文學家、數學家

可以說，佛雷爾的科學知識與內涵大部分都是透過主動自修學習而來的。畢業後的佛雷爾，繼續教了幾年書，並且在教書之餘，用功研讀了牛頓與拉普拉斯（Pierre-Simon marquis de Laplace）的力學著作。他會勤奮的寫下自己對於這些書籍的看法，並和其他一樣愛到書店串門子的「業餘」科學家們進行交流。這個過程使得他對海潮、風等自然流體的力學現象有了更深入的了解。

佛雷爾的學習成果很快受到了一位醫生朋友的賞識，他強烈推薦佛雷爾公開發表默默研究的潮汐理論，於是佛雷爾的第一篇學術論文就這麼誕生，也自此開始在美國東岸的氣象圈裡，變得小有名氣。

　　1853年，佛雷爾在閱讀了著名氣象學家莫里（Matthew　Fontaine　Maury，1806～1873）出版的航海風向記錄時，赫然發現了一個奇怪的現象。那就是——

> 地球上大部分地方的風，無論南半球或北半球，都會以緯度30度為中心，往南和北的地方吹拂……

　　這個現象不符合氣象老前輩哈雷所說，「風只會從低溫吹向高溫」的概念。

　　「奇怪，如果按照哈雷所說的，風都是由低溫吹向高溫的話，那無論是南半球或北半球，任何一個緯度地區的風，應該都會往日照最多、最熱的赤道吹吧？」佛雷爾在心裡靜靜思考著，「但是莫里的風向記錄明明不是這麼回事，南、北緯30度區的風也會吹向較低溫的高緯度區。這是不是代表著，除了溫度的差異之外，還有什麼因素在左右著風的方向呢？」突然間，他想起那個在老水手間流傳已久的傳說——

> 當你發現你所在位置的氣壓計讀數降低了，那麼那個地方就會變成迎風面！

「氣壓！會不會就是氣壓？」佛雷爾靈機一動，興奮的叫出聲來。

佛雷爾知道「氣壓」是單位面積的地表上，所承受的空氣重量。一個地方的氣壓，與空氣的溫度也有關係。因為熱空氣較輕，當單位面積地表上的空氣輕，氣壓就比較小；相反的，冷空氣比較重，單位面積地表上的空氣重，氣壓自然就較大。

所以，哈雷的想法其實只對了一半，真相是「溫度差異」造成了氣壓不同，才影響風吹的方向；但是在不同緯度，還有其他因素會影響氣壓，所以風向並非完全取決於溫度差異。空氣從氣壓高的地方往氣壓低的地方流動，才是影響風向的真正主因！

想到這裡，佛雷爾便開始整理從美國南方到東北部地區，各個氣象站的資料；也參考了英國氣象學家瑞德（Sir William Reid，1791～1858）的論文裡，關於南大西洋和加勒比海地區的氣象資料。如果要證明氣壓才是決定風向的因素，那麼在他收集到的這些資料裡，南、北緯30度區的氣壓都應該比較高，而風所吹向的低緯度和高緯度區，氣壓應該都比較低。

結果，經過仔細的比對後，佛雷爾發現——

第一，緯度30度區的氣壓最高，平均達到76.5公分汞柱高；
第二，緯度0和60度區的氣壓相對較低，平均只有75.8公分汞柱高。
所以，南、北半球的盛行風，是從高氣壓的30度區，吹向低氣壓的60度區和0度區。

「從資料看來，我的想法是正確的。區域間的氣壓差異，才是決定風向的因素。」佛雷爾放下資料喃喃自語，「但是好像哪裡還是不對勁，待我再仔細研究研究……」

原來，佛雷爾在比對全球風向資料時發現：風好像會有「神龍擺尾」的現象。比方說，風從氣壓最高的30度區往低緯度地區吹的時候，明明一開始都是吹北風，但是隨著緯度越來越低，風居然會轉向慢慢變成東北風！這雖然看起來像是細枝末節，但佛雷爾一點都不想放過，因為他認為「魔鬼藏在細節中」，說不定這代表著除了氣壓這件事，還有其他因素在影響著風。

傅科在1851年於巴黎萬神殿懸掛了巨大的擺錘，利用擺錘在沙盤上畫出的軌跡，讓大眾直觀的看到地球自轉的現象。

看著風向分布圖上「神龍擺尾」的神奇風向，佛雷爾突然想到前幾年才在法國巴黎展出，讓世人驚豔萬分的「傅科擺」。

「嗯？該不會跟傅科擺一樣，也是受到地球自轉的影響吧？」這念頭像一道電流穿過佛雷爾的身體。他仔細想過傅科的理論一遍，再拿來一顆地球儀，幻想空氣在不同緯度的上空，跟著地球自轉的情形。

「同樣是由西向東自轉一圈，緯度0度區繞過的距離，要比緯度30度區繞過的距離多，更不用說緯度60度區、緯度90度區了，所以地球轉動的速度也是緯度越高、速度越慢。」佛雷爾的視線隨著手上的地球儀緩緩移動著。

「因此，當空氣粒子從原本向東速率較快的緯度30度區，移動到較慢的緯度60度區時，空氣粒子還是維持原來的高轉動速度，這就使它們看起來往東偏移的現象；相反的，當風從向東速度快的緯度30度區往速度更快的緯度0度區移動時，因為空氣粒子會維持原本較慢的轉動速度，所以看起來風就會有向西偏轉的現象。」如果以更簡單的左右來比喻，就是地球自轉會使得北半球的風向右偏轉，而南半球的風向左偏轉。

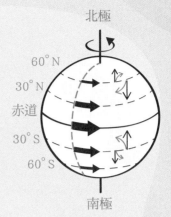

最初氣流的方向： ↑
實際氣流的方向： ↖

最終，佛雷爾在堆積如山的氣象資料裡，整理出以下這張風向圖，證實了他的想法。

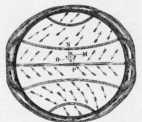

佛雷爾發現的地球自轉影響風向的現象，就是現在所稱的「科氏力效應」。

佛雷爾在論文中繪製的風向圖，清楚顯示出在氣壓差異和地球自轉的影響下，全球各緯度盛行的風向。

1856年，佛雷爾發表了一篇論文，說明了地區間氣壓差異和地球自轉會影響風向的情形。這項理論在後世的氣象學領域中舉足輕重，而曾經是窮小子的佛雷爾所提出的風向判斷方法，一直被全世界的氣象專家沿用到今日。

對不起，不是故意的啦！

赫里斯托福魯斯·亨里克斯·迪德里克斯·白貝羅

1817～1890

荷蘭氣象學家、化學家

較晚發現但名聲遠傳

令人尷尬的是，與佛雷爾同時代的荷蘭學者白貝羅（C. H. D. Buys-Ballot），不久後也注意到了跟佛雷爾類似的現象。不過，白貝羅進一步把他的理論編輯成一本小冊子提供航海員參考，所以在1857年這本小冊子發行並在世界各地廣為流傳後，人們就誤以為最早提出這個理論的是白貝羅，還將這個理論稱作「白貝羅定律」（Buys Ballot's law）。

雖然在1860年，很有紳士風度的白貝羅因為這件事情向佛雷爾道歉。但可能是因為「白貝羅定律」的名字太過響亮，再加上佛雷爾本身對這件事也不太介意，所以一直到現在，大多數人仍然習慣使用「白貝羅定律」這個稱呼，只有少部分人偶爾會改用「佛雷爾理論」，來替真正最早的發現者——佛雷爾伸張一下正義。

或許在當年，沒有多少人能想到，這樣一個出身清寒卻努力向上，並且積極尋找學習資源的年輕人，會在往後的世代裡帶給全球氣象界不亞於博士級學者的貢獻吧？

窮小子潛力無窮，跟我約會吧！

1 課堂中提到「氣壓是單位面積的地表上，所承受的空氣重量」可見空氣的重量不只壓在地表上，也壓在我們的頭上和肩膀上。為什麼我們不會被壓垮呢？

的確，我們每個人身上都頂著厚厚一層大氣層。這層大氣層至少有700公里厚！所以即使空氣的重量很輕，但是高達700公里厚的空氣累積下來，我們肩膀、頭頂上的空氣重量還是遠遠超過想像！

在正常的情況下，地表的每1平方公分上大約承受著1.03公斤的空氣重量。那麼我們的頭頂、肩膀面積加起來大約是50平方公分，算算看，總共頂住了幾公斤的重量？答案是，幾乎等同1位成年女性坐在你的肩頭上！但為什麼我們沒有時時感覺到自己肩膀沉重、脖子痠痛呢？

這是因為，人體並不是一個空殼，在我們體內有骨骼、肌肉、血液和各種臟器。這些身體構造能頂住大氣壓力，使得我們身體內的壓力與外在的空氣壓力相同，互相抵消壓力，不然如果我們是空殼，早就被壓扁啦！

空氣重量
=50公斤

壓力好大，
救我～

2 海水跟空氣一樣都屬於流體，既然科氏力會影響空氣流動（風）的方向，應該也會影響海水的流動方向吧？

沒錯，科氏力的確也會影響海水流動。但是因為海水的黏滯力比空氣大，又會受到海岸地形限制，所以海流的流動方式比較複雜。

簡單來說，表層海水會受到風的吹動而流動，但在科氏力影響下，北半球海流會往盛行風向的右邊偏轉，南半球海流則向左偏轉。

3 佛雷爾發現風會從高氣壓往低氣壓中心吹。那麼，高氣壓與低氣壓中心分別會有什麼樣的天氣呢？

在天氣圖上，H代表高氣壓中心，L代表低氣壓中心（如下圖）。高氣壓中心因為空氣下沉，所以基本上天氣穩定、無風或風力很弱，天空幾乎沒有雲，是晴朗的好天氣；相反的，低氣壓籠罩的地區因為空氣會上升，在高空凝結成雲，所以不是陰天就是雨天，甚至會出現雷雨。

高氣壓

氣流沉降，天氣晴朗。

低氣壓

氣流聚集，天氣陰雨。

LIS影音頻道 ▶

【自然系列—地科｜氣壓、地球自轉與風向】聽說風都往高溫區吹？

艾德蒙・哈雷曾經說過風會往溫度高的地方吹，但地球上卻出現往寒冷地方吹的大規模風向？到底「風」這個傢伙是有自由意識，還是其實真正的幕後操控者另有其人呢？

第12課

發現溫室效應

廷得耳

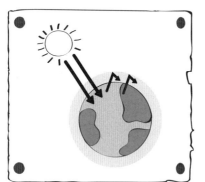

快起來！
這堂課是要講溫室效應啦，
不是溫泉～

從十八世紀工業革命開始，英國的工業生產與科學技術大大跨步往前走，並在十九世紀中葉達到顛峰。不管是在鐵路建造、熱動力、氣體和光學儀器的生產、應用和研究方面，英國都走上了世界的尖端。

但也是在這段時期，英國的首都——倫敦被冠上「霧都」的惡名。到處林立的工廠燃燒煤炭排放出的黑煙，經常與霧結合形成「黑霧」，使得倫敦市區總是一片霧濛濛，什麼也看不清楚。在這個時代，倫敦空氣中的二氧化碳、懸浮顆粒，以及惡臭的工業廢氣，正隨著英國工業實力的提升，來到史無前例的恐怖含量。

1952年十二月，大霧籠罩中的倫敦街景。

在接下來的百年之內，倫敦大約出現了10次的重大空污。其中最嚴重的一次是1952年的「倫敦煙霧事件」（Great Smog of London）。工業污染的廢氣混和著濃密的大霧，形成帶有強酸的致命毒氣，在短短的幾天內就造成10多萬人出現呼吸道疾病，甚至導致4000～1萬2000人死亡。

發生這麼嚴重的慘案，難道事先都沒有人提出警告嗎？當然有。早在100年前，一位來自愛爾蘭的科學家就提醒大家：不能再無限制的將工業廢氣排放到空氣中。只不過當時，他的重點不在於空氣污染會危害健康，而是預見了在更久遠後的「現在」，我們所擔心的議題——全球暖化與溫室效應。

這位科學家名叫約翰・廷得耳（John Tyndall），就是他發現空氣中的二氧化碳和其他氣體會在地球引發「溫室效應」，而他心中擔心的「暖化」現象，竟也在一個半世紀後的現在，預言成真。

是誰
擋住太陽的熱？

約翰・廷得耳
1820～1893
愛爾蘭物理學家

1820年，廷得耳出生在愛爾蘭東南部的一個警察家庭中。因為家裡的經濟不太寬裕，他在完成基礎教育後，就開始工作賺錢，進入地形調查局擔任工業製圖師。幾年後，認真工作的廷得耳就因為表現優異，得到升職並參與了當時如火如荼的鐵路建設計畫。

短短幾年間，廷得耳就賺了不少錢，也改善了家裡的經濟，於是在1847年後回到學校擔任數學與製圖學的教師。在好朋友的影響下，他對化學、物理產生興趣，動身到德國馬堡大學攻讀博士學位，專門研究「物質的磁性」。在這段時間內，廷得耳接受了一系列的研究和實務訓練，培養出能自行設計實驗儀器的能力，為他往後的獨立研究打下扎實的基礎。

從馬堡大學畢業以後，廷得耳受柏林大學馬格努斯（Heinrich Gustav Magnus，1802～1870）教授之邀，來到他的實驗室中擔任博士後研究員，繼續研究磁性現象。

不過，廷得耳偶爾也會幫忙馬格努斯研究「電和熱」的效應，結果應驗了那句話——凡走過，必留下痕跡。廷得耳在這額外幫忙的過程裡，意外培養出如何設計熱學研究儀器的能力。

你看，幫忙別人自己也能進步喔！

既然如此，妳來幫我寫功課吧？

到了1851年，廷得耳學成歸國，繼續他的磁性研究。也因為廷得耳發表了好幾篇著名的論文，受到電學之父法拉第（Michael Faraday，1791～1867）的推崇，獲選為皇家科學研究所的自然哲學教授。1856年，已經聲名遠播的廷得耳受邀研究阿爾卑斯山的冰川力學現象。在過程中，廷得耳注意一個讓他匪夷所思的現象：

「奇怪？在高山上，光照明明比平地強烈，但是氣溫卻比平地低的多，這個現象不合常理！」

原來，這裡所謂的常理，是當時的科學界普遍認為「受到陽光照射量越多，環境就會越熱」的觀念。這讓曾經研究過不同物質的磁性以及熱性質的「化學家」廷得耳，興起或許可以一改前人的物理「宏觀」角度，改用化學的「微觀」角度，來探討環境熱變化的念頭。

過了沒多久，廷得耳恰好讀到法國科學家普雷特（Claude Servais Mathias Pouillet，1790～1868）有關太陽輻射熱的論文。

普雷特的計算結果，明顯不符合地球實際的情況。

　　普雷特算出，如果地球表面的熱完全源於太陽熱輻射，那麼赤道地區白天的氣溫應該高達攝氏116.5度！而晚上因為沒有太陽，再加上地表的熱會以熱輻射的形式散失，赤道晚上的氣溫則會降到攝氏零下142度。這麼一來，早晚的溫差就會高達攝氏200度以上！

　　但是，實際的情形真的是這樣嗎？廷得耳一查資料就知道，赤道區的白天均溫只有攝氏30度，晚上攝氏23度。整體而言，日夜溫差只有攝氏7度。這究竟是怎麼一回事？

　　「是普雷特計算錯誤嗎？還是地球隱藏著其他還沒有被發掘出來的原因？」廷得耳被這個問題迷住了，不停的思考著。

　　突然，他聯想到，在正中午的炎熱時分，人們只要躲到樹蔭下，就可以避開太陽的輻射熱。或許在地球表面上，也存在著某種物質，能在白天阻擋太陽的熱，避免地表溫度來到驚人的攝氏116.5度，也同時能在晚上阻擋地表的熱輻射到外太空，使夜晚的溫度不會降到嚇死人的攝氏零下142度。

哈哈，我有神功護體，你傷不了我的！

地球　　　　太陽

50

廷得耳想起義大利物理學家梅洛尼（Macedonio Melloni，1798～1854）曾經發現，很多看似透明的固體或液體都能阻擋部分熱輻射傳遞，換句話說，不一定要是「不透明的」的物質才能阻擋熱輻射！

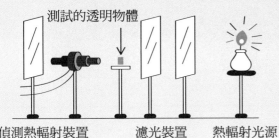

測試的透明物體

偵測熱輻射裝置　　濾光裝置　　熱輻射光源
　　　　　　　　（避免光線干擾）

梅洛尼用來測試透明固體和液體降低輻射熱的裝置。

這使得廷得耳靈機一現：「空氣也是『透明的』，或許大氣層就有阻擋熱輻射的能力，使地表不會劇烈的升溫或降溫！」於是廷得耳憑著豐富經驗，設計出一套能偵測熱輻射大小差異的儀器，只要利用檢流計查看偵測裝置產生的電流大小，就可以知道熱輻射經過長管內的氣體後減弱了多少。

廷得耳的測試裝置

利用左右溫度差產生電流的偵測裝置　　填充測試氣體的長管

熱輻射源　　　　　　　　　　　　　　　　　　　　　　熱輻射源

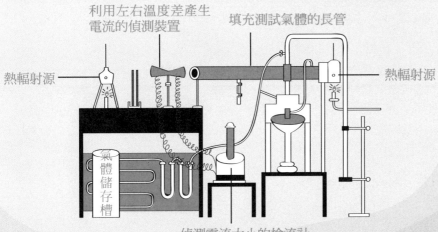

氣體儲存槽

偵測電流大小的檢流計

廷得耳用這套儀器，測試了一般空氣、乾燥空氣、純氮氣、純氧氣、二氧化碳，以及二氧化碳與水蒸氣的混合氣體，他發現到：

	乾燥空氣	氮氣	氧氣	一般空氣	二氧化碳	二氧化碳與水蒸氣的混合氣體
檢流器出現幾度偏轉	0度	0度	0度	1度	12度	18度
降低熱輻射傳遞的能力	無	無	無	微弱	良好	良好

廷得耳得出結論：環境中一般的空氣、二氧化碳和水蒸氣，具有降低熱輻射的能力，尤其二氧化碳和水蒸氣的混合氣體最強；但是相反的，純氮氣、純氧氣和乾燥空氣，並不具有這樣的能力。

這個結果解開了地表為什麼不會劇冷劇熱的謎題。原來，地球表面的空氣中，確實含有能降低熱輻射的二氧化碳、水蒸氣與其他微量的氣態物質！

> 地球是何其幸運，如果沒有這些空氣的保護，我們的世界將會在白天熱的像煉獄，晚上卻冷的像冥府！

地球吸收太陽的熱輻射後，再釋出的熱會被二氧化碳(CO_2)、水(H_2O)等溫室氣體保留；氧氣(O_2)和氮氣(N_2)則沒有這種能力。

隨後，廷得耳乘勝追擊，進一步測試工業活動容易產生的碳氫化物、臭氧及氮氧化物等等具有濃厚氣味的氣體。結果發現，這些氣體也會阻擋熱輻射，而且在和先前同樣的實驗設置中，能夠使檢流器偏轉超過40度！顯示它們的阻擋能力，比一般的空氣、二氧化碳與水蒸氣，來得更為強烈，並且發現，原來這些氣體降低熱輻射的能力，是來自於它們能有效的「吸收」掉熱輻射。

　　於是在1861年，廷得耳開始發表一系列的論文，公布這些重要發現。他還受到前輩法拉第的幫助，進一步將實驗中所測到的微電流，換算成能量單位，得到結論：

原來工業廢氣最會導致暖化現象！

1. 水氣吸收熱輻射的能力，是空氣的60倍。
2. 工業活動產生的「臭氣」（通常由碳氧化物、氮氧化物、硫氧化物與有機物混合產生），吸收熱輻射的能力是空氣的30～372倍。

　　換句話說，這些人造的氣體除了可以大量吸收太陽施加給地球的熱輻射，又可以防止地球的熱以輻射的方式散失到太空中。廷得耳認為，長期發展工業的倫敦或其他地方，很有可能在未來「變熱」，變成一座座因為工業化而形成的「熱島」（heat island）。他隨後將這個想法寫在給科學界朋友的信中，但朋友讀完後只是一笑置之，使得廷得耳對暖化現象發出的警訊，最終只落得石沉大海。

說什麼鬼話。

要是他們當時聽進去就好了……

單單只是工業排放的氣體，就能改變大氣平均溫度嗎？這不可能！

不過，真理經得起時間的考驗。30幾年後，瑞典化學家阿瑞尼士（Svante August Arrhenius，1859～1927），驗證了廷得耳的警告是正確的，整個地球可能因為這些工業廢氣以史無前例的速度向地球大氣注入二氧化碳，而出現驚人的增溫現象。阿瑞尼士的研究結果，可以說是史上第一次「有憑有據」的指出，全世界在工業的發展下將會快速暖化。

　　1901年，瑞典氣象學家埃克霍爾姆（Nils Gustaf Ekholm，1848～1923）首度使用「溫室」（greenhouse）這個字眼，來描述這般大氣保留地球熱輻射，進而提升地球氣溫的效應。而後來的科學家則將這些會加劇溫室效應的氣體，稱為「溫室氣體」（greenhouse gases）。

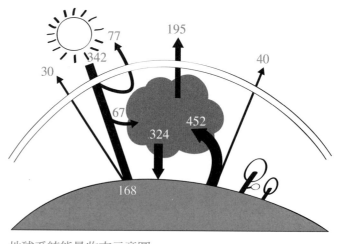

地球系統能量收支示意圖

1.抵達地球的太陽輻射總量有342W/m²

2.雲、氣溶膠、大氣氣體反射77W/m²回太空

3.地球表面反射30W/m²回太空

4.大氣氣體與雲散發長波輻射195W/m²回太空

5.地表散發長波輻射40W/m²回太空

6.大氣與雲層吸收太陽輻射67W/m²

7.大氣與雲層吸收地表長輻射、熱傳導、水氣潛熱共452W/m²

8.大氣向地表釋放長波輻射（逆輻射）324W/m²

9.地表吸收太陽輻射168W/m²

內容依IPCC《氣候變遷2007》（Climate Change 2007）繪製

廷得耳忙於研究與科學教育，一直到55歲才與身為議員女兒的路易莎·漢彌爾頓（Lousia Charlotte Hamilton，1845～1940）結婚。但是他心愛的太太在1893年意外給錯了廷得耳治療消化不良與失眠的藥物，導致廷得耳服藥過量身亡。廷得耳死後，路易莎收集了大量材料想寫下他的傳記，但還沒有完成時也跟著離開人間了。

廷得耳的傳記沒有完成，可能是導致他在後世知名度不高的原因。但是時至今日，過多的溫室氣體會造成「暖化現象」，已經被證實了對世人是如此重要。

我們應該記得廷得耳，因為他在那個鮮少有人相信工業廢氣會造成全球暖化的時代，曾經冒著被恥笑的危險，為後世的我們提出警告；儘管他的聲音是那樣的微弱，儘管暖化還是不幸成為事實，我們還是由衷的感謝他——一位來自上上個世紀的暖化先知。

快問快答 ||||||||||||||||||||||||||||||||||||||||||||||||||||

 人們提到「溫室氣體」幾乎會拿「二氧化碳」當例子，除此之外還有其他種類的溫室氣體嗎？

有的。其實大自然裡最常見的溫室氣體，就是「水」了。但是因為水蒸氣會凝結成水、降落到地面，不像二氧化碳一樣會累積在空氣中，所以在談論如何減少溫室氣體時，通常不會考慮空中的水蒸氣。

其他常見的溫室氣體還包括臭氧、甲烷、氮氧化物、氫氟碳化物等等，來源從畜牧業、火力發電、工業、汽機車都有。

別「生氣」呀！

牛的「排氣」中有不少甲烷，許多科學家正嘗試調整飼料成分來降低甲烷產量，好減緩溫室效應。

 LIS影音頻道 ▶

【自然系列─地科｜溫室效應】少了這個東西，地球瞬間變成人間煉獄！

如果說地球是因為與太陽的距離恰到好處，才讓地表溫度處於適合生命發育的範圍，但明明根據科學家計算，如果只考慮太陽的照射強度，那麼白天時地表的平均溫度將會是……攝氏110度？

第13課

熱氣球、氣象氣球與平流層

泰塞朗・德波爾

這堂課讓我們講講
氣象氣球，走～

「天空有多高」、「高空裡有什麼」自古以來，這一類高來高去的問題，一直困擾著古人的心。在古代，人類還沒有發明飛行器，上不了青天一探究竟，不得已之下，只能創造出神話、天堂，來彌補想知道卻又不可能知道的缺憾。

就連講究科學態度的古希臘哲學家，也只能站在地上觀察天空，然後呢？然後還是只能憑著「想像」來思考天空的問題。西元前四世紀，亞里斯多德就認為，上層的天空和宇宙充滿一種稱為「以太」（ether）的物質。以太看不見、摸不著，而且沒有質量，永恆而神祕。

這種假想的乙太觀念影響了西方科學近2000年。直到十八世紀，孟格菲兄弟（Montgolfier brothers）發明了熱氣球，才首度把人類帶上青天，從此展開人類對天空實際探索的歷史。

老弟，來飛熱氣球吧！

約瑟夫－米歇爾·孟格菲

好啊！哥哥。

雅各－艾蒂安·孟格菲

孟格菲兄弟並不是什麼飽讀詩書的科學家或知識分子。他們是法國一個造紙商家庭中的第十二個孩子約瑟夫-米歇爾（Joseph-Michel Montgolfier，1740～1810），和第十五個孩子雅各-艾蒂安（Jacques-Étienne Montgolfier，1745～1799）。兩兄弟中最早對飛行感興趣的是總被大人批評為「愛幻想」、「不切實際」的哥哥約瑟夫。早在十五歲的時候，約瑟夫就曾打造降落傘從家裡高處往下跳。

有一次，有人在火上烘乾衣物的時候，約瑟夫看到一件衣服的口袋，竟然在熱氣上膨脹、浮升，於是他用布料做成一邊有開口的立方體，並在下方點火，結果真的使立方體飛升到天花板那麼高，這就是最早的熱氣球雛形。後來，弟弟艾蒂安也加入實驗，兩兄弟造出的立方體愈來愈大，最後為了在眾人面前公開表演，立方體變成了美麗的圓球形，史上最早的一顆熱氣球終於成形。

1783年6月4日，孟格菲兄弟的熱氣球首度公開升空。

1783年9月19日，聲名大噪的孟格菲兄弟受邀在國王路易十六和王后面前表演，熱氣球上載著一隻名叫Montauciel（意思為「飛上天際」）的羊、一隻鴨子和一隻公雞。後來熱氣球飛行了大約3公里，並升到460公尺的高度後安全著陸，人們這才確定生物飛上高空後，並不會產生危險。

好像很好玩，我也想玩。

緊接著，同年11月21日一名軍官和同伴才進行了人類第一次的自由飛行。他們在巴黎上空飛行了9公里，並上昇到910公尺的高空，達到人類視野的新高度。在未來，人類對天空的認識將隨著氣球的高度越來越高而越來越深。

　　孟格菲兄弟的熱氣球，像旋風一樣在大眾間爆發一股轟動；但若要說到他們對科學世界有什麼貢獻？那就是華麗碩大的熱氣球，在100年後啟發了「氣象氣球」的發明。

代替雙眼 把儀器送上天

　　從1890年代開始，歐洲與美國天文台的研究員們，開始改良孟格菲兄弟用來評估熱氣球飛行安全的風向氣球，並在氣象氣球上吊掛各種設備，像是氣壓計、溼度計、風向計、溫度計、定位設備和無線電回傳裝置等等，好讓氣象氣球升入高空時，傳回不同高度的各種氣象資料。

　　當時，氣象氣球就像是科學家們的「新玩具」一樣，在氣象學家之間引起一股「用氣象氣球探索高空」的熱潮。大家擠破頭改良氣象氣球的材質與構造，都想讓自己的氣象氣球飛的比別人高。

1903年9月3日蘇黎世聯邦理工學院準備發射氣象氣球。

　　1893年前，氣象氣球的探空高度來到大約8公里，也就是8000多公尺。氣象學家發現到在這個高度以下，氣溫會隨著高度的升高而下降，平均大約每1公里就下降攝氏6度。但是8公里以上呢？10公里以上呢？溫度下降的模式還是這麼規律嗎？欲知後事如何，請見法國氣象學家泰塞朗・德波爾（Léon Philippe Teisserenc de Bort）如何解謎。

解開天空之謎

雷昂‧菲利浦‧
泰塞朗‧德波爾
1855～1913
法國氣象學家

1855年，泰塞朗‧德波爾出生在法國巴黎一個富裕工程師的家庭裡。雖然他天資聰敏，而且像父親一樣對自然科學充滿熱情。但可惜的是，從小體弱多病的他，沒有辦法像其他的孩子一樣上學讀書，於是他的父親只好為他聘請家教。直到成年為止，泰塞朗‧德波爾都不曾到過正式學校上過一天的課。

不過，身體的虛弱多病並沒有阻礙泰塞朗‧德波爾發展學習興趣，尤其是氣象學。他不但在家裡自行觀測氣象，還寫了幾篇論文，以私人的名義寄給法國氣象學會。

這些論文讓氣象學會的會員們十分欣賞，有人甚至邀請泰塞朗‧德波爾到法國中央氣象局工作。而泰塞朗‧德波爾的表現也很亮眼，不到兩年時間他就升任為氣象局主任，不但可以調閱國內外的氣象資料，還多次得到機會到非洲考察，研究地質學和地磁現象。

不過，在公家單位裡做研究，對泰塞朗·德波爾來說，總像是少了什麼。1892年，從小把他捧在掌心的父親過世，留下了一筆豐厚的遺產給他。傷心的泰塞朗·德波爾向氣象局請了長假，除了處理父親的後事與家中的財產之外，也讓自己休息並平復喪父的心情。

在這段時間內，他終於能拋開公家單位繁瑣的行政事務，重新感受到單純做科學研究的那種自由與熱情，於是他開始慢慢厭倦起氣象局裡的單調工作。1896年，四十六歲的他辭去工作，用積蓄和父親留下的遺產，在法國凡爾賽（Versailles）近郊的特拉佩市（Trappes），建立一座私人氣象臺。而這座氣象臺最重要的工作，除了進行地面的各種氣象觀測之外，就是引進當時讓他最感興趣的氣象氣球，來研究高空裡的天氣現象。

氣球

降落傘

定位儀器

氣象測量儀器

經過泰塞朗‧德波爾改良的第一個氣球，在1898年6月8日的清晨三點鐘升空，這是人類第一次高度超過10公里的高空氣象觀測。

氣球釋放後，泰塞朗‧德波爾發現當氣球飛到11.8到13公里處時，溫度計的數值一直保持在攝氏零下59度左右，不再隨著高度升高而降低；甚至來到16公里的高空時，氣溫反而升高了攝氏9度。

「怪了，這個現象真反常。」泰塞朗‧德波爾的心裡十分納悶，「亨納特告訴我們『越高的地方，氣溫就越低』，怎麼一過11.8公里，氣溫反而上升了呢？」

實驗結果跟以前學的不一樣

原來，他口中的亨納特（Johann Friedrich Hennert，1733～1813）是十八世紀的荷蘭數學家兼物理學家。亨納特透過詳細研究後發表的理論——「在地球上的同一個地點，高度越高，則氣溫越低」早已經是十八到十九世紀以來，科學家公認的普遍現象了。但是現在橫在泰塞朗‧德波爾眼前的事實卻正好相反。

「難道是溫度計到了高空失靈？」他心裡想，「還是儀器被空中的小鳥撞壞了呢？」

你看，我是無辜的。

抱歉……

為了確認原因是不是儀器故障，泰塞朗‧德波爾在同一個地點、同一個高度，重覆做了140次的測量。最後結果顯示出這個現象的的確確是真的，跟儀器失靈或空中的小鳥一點關係也沒有。

泰塞朗‧德波爾聯想到，英國氣象學

家廷得耳和瑞典化學家阿瑞尼士的論文曾經提到：帶有強烈氣味的臭氧和其他氣體，吸熱與保溫的能力是地表空氣的好幾百倍。那麼，11.8公里以上的高空處，會不會含有很多這一類的溫室氣體，以至於吸收了太陽和地球的輻射熱，才會越高越熱？

「看起來可能性很大，」泰塞朗‧德波爾繼續思考著，「我記得英國化學家哈特里（Sir Walter Noel Hartley，1845～1913）也曾發表過──臭氧呈現藍色，因為它會吸收掉紅、橙、黃、綠等色光。所以破曉的曙光出現在地平線時，四周都是紅、橙、黃色系的光，只有高空處呈現明顯的藍色。這代表，高空處應該存在大量的臭氧……」

「或許就是因為臭氧，11公里以上的高空溫度才會不降反增。我要想個辦法來證明我的推論！」泰塞朗‧德波爾心中下了決定。

用數百次實驗證明自己的理論

泰塞朗‧德波爾知道，如果要證明他的假設是正確的，那麼他必須要能觀測到，在世界上各地的高空都有一樣的現象。而且為了確保不是因為強烈陽光所造成的誤差，他必須避開白天最熱與夜晚最冷的時間，選擇在溫度適中的半夜三點進行實地測量。

泰塞朗‧德波爾選定了氣候溫和的3月和6月，先在凡爾賽近郊的上空，進行了236次高空氣溫測量；同時又向歐洲及北美洲各地的氣象臺調閱資料，比對了相同月份、相同時間卻不同緯度的高空氣溫數據。

這下，泰塞朗‧德波爾一口氣得到310筆資料。而且每份資料幾乎都符合，氣象氣球在升到大約10公里（不同緯度的高度略有不同）的高度後，周圍的氣溫就開始不再下降，甚至出現微微上升的現象。

泰塞朗·德波爾做出了結論：大氣的成分會影響周邊環境的溫度，而且地球的大氣層應該可以依「溫度變化」分為兩層——

第一層是10公里以下的高空，氣溫會隨著高度上升而下降；第二層是10公里以上的高空，氣溫會隨著高度上升而升高。

10公里

　　終於在1902年，泰塞朗·德波爾公開了他的發現：地球的大氣層可以分成上下兩層，而且上層的大氣幾乎沒有天氣變化，空氣對流的現象也不如下層明顯。

　　1908年，泰塞朗·德波爾還在德國氣象學會議上提議，把大約10公里以上的大氣層，稱作「Stratosphere」（中文譯為「平流層」），因為法文的「Strato-」有「分層」之意，意思是這層的大氣溫度和天氣的變化，都不同於下層的大氣；10公里以下的大氣層則命名為「Troposphere」（中文譯為「對流層」），因為法文的「Tropo-」有「變化」之意，代表下層的大氣多變、容易出現明顯的天氣變化。

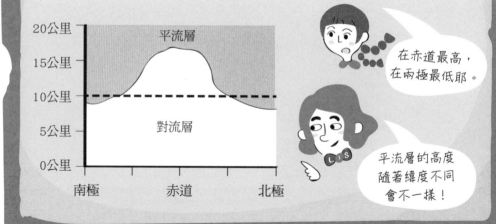

20公里　　　　　　　　平流層
15公里
10公里
5公里　　　　　對流層
0公里
　　南極　　　　　赤道　　　　　北極

在赤道最高，在兩極最低耶。

平流層的高度隨著緯度不同會不一樣！

說到這兒，我們不能不提到另一個人，那就是德國的氣象學家阿斯曼（Richard Assmann）。他和泰塞朗‧德波爾幾乎「同時」發現了大氣層的分層現象；所以現今的氣象學界，很公平的將阿斯曼及泰塞朗‧德波爾兩人，視為同時發現平流層的氣象學家。

泰塞朗‧德波爾和阿斯曼共同為世界打開了天空研究的大門。所以現在我們知道，平流層的高度會隨著緯度的不同而不同，落在大約10到50公里的範圍內。

而從1900年代至今的科學家，已經根據溫度變化將大氣層分成四層——對流層、平流層、中氣層、增溫層。未來，有沒有可能再分成五層、六層、七層呢？只要能說出個道理來，在日新月異的科學世界裡也不是不可能喔！

理查‧阿斯曼

1845～1918

德國氣象學家

增溫層

中氣層　　　　　　　　85公里

平流層　　　　　　　　50公里　　臭氧層

對流層　　　　　　　　11公里

高溫 ←——→ 低溫

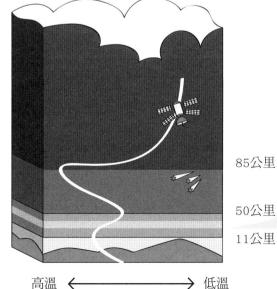

✏️ 快問快答 ▐▐▐▐▐▐▐▐▐▐▐▐▐▐▐▐▐▐▐▐▐▐▐▐▐▐▐▐▐▐▐▐▐▐▐▐▐▐▐

1 氣象學家用「氣象氣球」來調查高空的氣象資料和大氣結構，但是如果想研究颱風，氣象氣球會被颱風吹跑嗎？

你的考慮非常周到，如果要研究特定颱風或是颱風附近的大氣結構，輕飄飄的氣象氣球的確不是適當的工具。

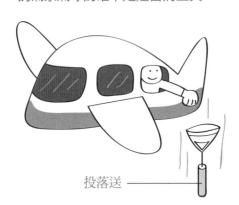

投落送

臺灣每年受到平均4～5個颱風入侵，所以非常重視颱風研究，多次以飛機冒險飛到颱風上空投放「投落送」（空投式探空儀），讓投落送在從高空掉落到地面的過程中，記錄氣壓、溫度、風向、風速等資料的變化。

這種方法機動性很高，即使颱風還沒有登陸，還在海面上徘徊，人們都能派出飛機主動出擊、收集數據，提高預測颱風動態的準確度。

LIS影音頻道 ▶️

【自然系列—地科｜平流層】天空之謎！

聽說離地180公分之後空氣的味道不一樣？關於這個問題，泰塞朗・德波爾表示太小家子氣了！他好奇的是離地180萬公分的空氣是不是也一樣？

第14課

找到地震原因

雷德

自古以來，大地的震動總是讓人們驚恐不已。突如其來的地震在短短幾秒內奪走人們的一切，不只造成人命傷亡，還會帶來重大的財產損失。歷史上偶爾發生的超級地震，更能大到能毀滅整座城市，甚至改寫一個國家甚至整個民族的命運。

在還沒有科學能力解釋地震的古代，面對「地震是怎麼來的？」這個事關重大的問題，人們只好用神話、天譴填上答案的空白。比方說，臺灣人認為地震是地牛大翻身，日本人認為地下有大鯰魚；紐西蘭原住民的傳說則是有一位火山與地震之神，因為喝奶時不小心被翻身的母親壓入地下，從此便不斷生氣吼叫，造成地面震動，並且噴出火焰。

睡覺翻個身也大驚小怪。

不管是誰被壓到都會哭鬧吧！

人們還曾經觀察鯰魚試圖預知地震呢。

在不同文化的想像中，地震是因為地底有不同的動物、神明而引起的。

儘管這樣的神話、傳說充斥民間，但有一批人可不會隨便埋單。他們相信，地震只是一種自然現象，與神怪無關，只要經過仔細的觀察、推論，就能解釋這種自然現象。其中，古希臘的自然哲學家是這麼認為的——

地震是「以太」造成的。以太總是往上移動，當它被困在地下的空洞中時，就會引起震動。

以太

阿那克薩哥拉
500BC～428BC
古希臘自然哲學家

德謨克利特
460BC～370BC
古希臘自然哲學家

地震是過多的「水」造成的。當雨水大量的湧入地下的空洞時，就會引起大地震動。

錯！錯！地震是「風」造成的。當大風灌入地球的內部時，就會引起地震。

亞里斯多德
384BC～322BC
古希臘自然哲學家

而由於亞里斯多德的學說在中世紀被教會奉為權威（請見第三課），所以後續幾近2000年的時間，歐洲學者們普遍認同地震的成因就是來自地底下的氣流。

　　不過，有時候危機就是轉機。1755年，葡萄牙的首都里斯本發生了一次地震矩規模8.7到9.0之間的大地震（九二一大地震的地震矩規模為7.7）。地震幾乎震碎了整座城市，卻也同時震出了人們對於地震的新觀點。

　　一開始，篤信天主教的里斯本人民只能發著抖向上帝祈禱，希望地震快快平息、災難趕快過去。但是沒多久，地震引發的海嘯夾著9公尺高的海嘯捲向陸地，接著，被地震震倒的蠟燭又燃起大火，熊熊的火舌幾乎吞噬整座城市。

里斯本大地震與地震引發的海嘯，幾乎摧毀了85%的房舍，而剩下的15%則幾乎被地震引發的大火燒光。死傷人數超過所有人口的1/3。

　　當天災終於過去，幸運存活的人正需要安慰與重建家園的時候，教會卻派出神父在街上大力宣傳「上帝懲罰論」，認為是里斯本的人民犯了十惡不赦的罪，沉溺於看歌劇、聽音樂、鬥牛等奢侈的享樂，所以受到上帝嚴正的懲罰。教會認為人們最先考慮的不應該是重建，而是要好好懺悔，洗滌罪惡，請求上帝的原諒。

這個論調觸怒了當時負責災後重建的國務大臣龐巴爾侯爵（Marquês de Pombal，1699～1782）。龐巴爾侯爵一方面打壓宣傳「上帝懲罰論」的耶穌會，將所有耶穌會的成員趕出葡萄牙；另一方面，他又派出大量修士調查各地災情，收集、記錄各種地震資料，包括地震前後有沒有小動物出現怪異行為，或是水井的水位有沒有上升或下降。

現在該怎麼辦？
埋葬死者、治好生者！

龐巴爾侯爵
1699～1782
葡萄牙國務大臣、
里斯本地震災後重建負責人

以科學的眼光看待自然現象

龐巴爾侯爵的行為，被認為是現代地震學的先驅，開啟了歐洲地震學的研究。1760年，英國科學家約翰・米歇爾（John Michell，1724～1793）就是根據這些地震資料提出，地震的本質是在岩層中傳遞的波動，而且地球可能分層，地震甚至可以穿過地球的內部。

這種新觀點在當時的歐洲，實在是一個巨大的進步。但至於造成地震的確切原因是什麼呢？慢點慢點，科學很少能夠一蹴可幾。這個問題的答案要等到在世界的另一端，發生另一次驚天動地的地震以後，才會如曙光般在世人面前顯現。

地震啟示錄

哈利・菲爾丁・雷德
1859～1944
美國地球物理學家

西元1906年4月18日，清晨5點12分。當大部分人都還在睡夢之中時，在美國舊金山附近的「聖安地列斯斷層」上發生了一場地震矩規模7.9的地震。劇烈的震動搖醒了驚慌失措的人們；卻有更多的人被崩落的屋瓦或樑柱砸中，從此長眠不醒，成為這場世紀震災數千名罹難者中的一員。

接著，地震過後隨之而來的熊熊大火，為舊金山帶來更大的災難。這些火災是因為天然瓦斯管在地震中破裂所造成的，但是有些火災卻是人們故意放火焚燒自己的房子，原因是除非房子同時被大火燒毀，否則保險公司不會賠償房子在地震中的損失。

就在這一片混亂之中，當地政府想盡辦法挽救局面。比如為了控制火勢，他們炸掉火場邊緣的建築物，希望能隔離火舌，阻止火勢延燒。只可惜這樣的舉動往往越幫越忙，因為政府送來的火藥常常引發火災，讓衝天的火焰越燒越旺。

1906年舊金山大地震後引發的大火，火勢綿延將近5公里，大大重創了舊金山市。

就這樣，地震雖然只搖晃了幾分鐘，引發的大火卻延燒了整整4個晝夜。4天過後，當這場災難慢慢的平息下來，除了收拾起傷心與恐懼的心情，積極努力重建家園之外，人們不禁要問：「這麼巨大的地震是怎麼發生的？」、「為什麼是發生在舊金山？」、「下次會不會再有更大地震呢？」

為此，美國聯邦政府特別組織了地震中心，請加州大學與加州地震調查委員會調查這場地震的原因。

當時，加州大學的礦物學暨地質學系主任洛森（Andrew Cowper Lawson，1861～1952），想起一位曾經教過物理系，也曾經待過地質系的朋友——雷德（Harry Fielding Reid）；由於當時的學界正興起一股用物理學解釋地質現象的風潮，洛森便認為雷德是調查地震的最佳人選，所以邀請雷德一同來加州研究這場地震。

太好了，就是你了

沒問題！

洛森

化學
地質

地震

雷德

結合物理與地質兩項專業的雷德，成為破解地震起因的關鍵。

個子短小精悍的雷德，面對新任務的第一件事，就是調查舊金山當地的「斷層」。因為在過去，英國的地質學家萊爾（Charles Lyell，1797～1875）曾經發現，除了火山爆發所造成的地震以外，大多數的地震都會發生在斷層附近，並且在地震過後產生新的斷層。因此當時的地震學者認為，地震與斷層間彷彿存在某種特殊關係，在地震後檢查斷層的變化，也就成了每一個地震學家都會做的事。

　　只不過，其他學者大部分只留意到斷層的「垂直」（高低）落差；雷德卻不只是這樣，他還特別比對了斷層的「水平」位移。

　　「奇怪。」雷德比對了聖安地列斯斷層東西兩邊觀測站地震前後的位置時，百思不得其解，「斷層西側的觀測站全都往北移動了10英尺，而斷層東側的觀測站雖然有出現往南移動的現象，卻不像西側的觀測站一樣移動了相同的距離；而是越靠近斷層的觀測站，位移越大；離斷層越遠的，位移越小…」

地震前

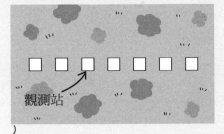

觀測站

地震後

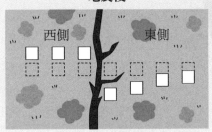

西側　　　　東側

在斷層兩側的觀測站，地震後不僅移動的方向不同，移動距離也不一樣。

　　「如果地表是很硬的岩層，那麼岩層應該是整片移動，每個觀測站位移的距離都一樣，怎麼會有越來越小的狀況呢？」雷德愈想心裡愈納悶。

他拿起筆，隨手把地震過後斷層兩側的觀測站一一連起來，沒想到，卻連成了2條彎曲的曲線！這讓雷德聯想到，以前做過的實驗中「彈性回跳」的物理現象。比方說當直尺受到外力時，會產生變形和彎曲，並累積能量，而當直尺撐不住而斷裂時，直尺就會往受力的反方向彈回去──這個回彈的移動曲線，恰巧就跟斷層位移的曲線非常相似！

　　「啊！難道岩層不是硬的，而是像直尺一樣具有彈性？」此時，聖安地列斯斷層的岩層彷彿在雷德的腦中動了起來。他想像，地底下有一股不知名的力量，將斷層西側的岩層往北推擠，使得斷層西

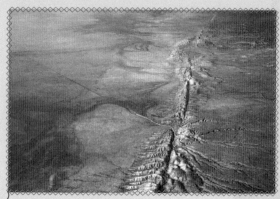

從空中俯瞰聖安地列斯斷層。

側的岩層變形並且累積能量，最後長期緊繃的岩層突然斷裂！累積在岩層的能量瞬間釋放出來，轟隆隆的產生威力驚人的地震！

　　「如果真的是這樣的話，」雷德開始設想接下來他應該要做的事，「那麼舊有的聖安地列斯斷層，不管在哪一側，應該都能找到像是彈形材料一樣受力變形的證據。我應該找找有沒有更仔細的位移資料，來驗證我的想法。」

　　果然，在1851年到1907年間，美國海岸和大地測繪中心的總負責人蒂特曼（Otto Hilgard Tittmann，1850～1938）早已經對聖安地列斯斷層周邊做了仔細而精準的測量。

雷德把這些調查紀錄按時間分成3段：第一段大約是地震前50年（1851~1866年），第二段大約是地震前10年（1874~1892年），第三段則是地震後的1906~1907年。結果他發現——

地震前50年

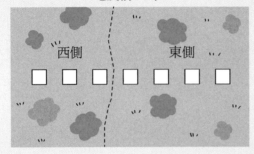

地震前10年

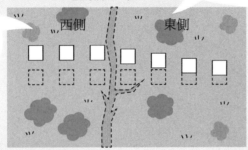

斷層東側的岩層則是被往北拉扯。

地震發生前，斷層西側的岩層就已經出現了明顯向北位移的狀況。

地震後

地震發生之後，斷層東側的觀測站從往北位移了10.4英尺，一口氣彈到往南位移約10英尺的位置。

報告上面這些觀測站移動位置的數據線段，在雷德眼中漸漸與從前做彈性實驗時的情景重疊在一起，雷德忍不住喃喃自語：「天啊……幾乎模一樣……」

手壓直尺
變形情況

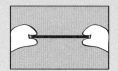 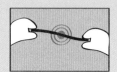 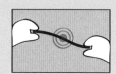

岩層斷裂
前後變化

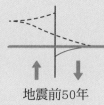 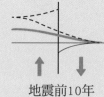 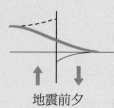

地震前50年　　　　地震前10年　　　　地震前夕

手壓直尺
變形情況

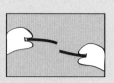 

岩層斷裂
前後變化

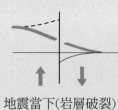 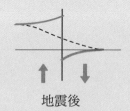

地震當下(岩層破裂)　　　　地震後

——— 觀測點連線

於是雷德在地震調查報告書中，正式提出了地震的成因：具有彈性的岩層在受到地底下不知名的外力時彎曲，到達極限後斷裂，把累積的能量瞬間釋放，才造成了大地的劇烈震動。

　　雷德將這個理論命名為「彈性回跳學說」，並且以同樣的手法分析了1872年的加州歐文斯谷地震、1888年的紐西蘭北坎特伯雷地震、和1891年的日本美濃尾張地震，都相當符合「彈性回跳」所描述的狀況。

　　儘管雷德當時並不知道究竟是什麼力量拉斷了岩層，但他的學說還是立刻被大家接受，並被公認為美國史上第一位用物理方法研究地科現象的人，也就是美國首位「地球物理」學家。

　　就這樣，因為雷德提出的「彈性回跳」理論，人們開始懂得觀測地形的逐年變化，或用鑽探來測量岩層累積的力量大小。雖然，這離人類能預測地震的降臨還非常遙遠，直至今日，我們人類仍然無法預測突如其來的地震。但雷德的「彈性回跳」學說至少象徵著，人類往預防地震的這條路上，終於小小的跨出了第一步。

　　至於，究竟是誰藏在地底深處，拉斷了看起來堅不可摧的岩層？要發現這股深不可測的巨大力量，那又是半個世紀以後的事了。

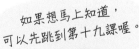

如果想馬上知道，可以先跳到第十九課喔。

看到了，第129頁！

迫不及待了吧？嘿嘿～

 **快問快答**

 聽說地震即將發生之前，空中會出現特殊的「地震雲」，這是真的嗎？

所謂的地震雲，通常是在地震前幾天，天空中出現細長的帶狀白雲。根據氣象專家的說法，這種雲為「高積雲」，經常在空中出現，跟地震沒有關聯。在臺灣，每年大約能記錄到1000 次有感地震，每天更有將近100次的無感地震，所以地震前天空正好出現高積雲的機會很大，不足以說明出現這種雲就是地震的前兆。

不算！每次都地震以後才報導。

news

預知地震？
天空出現地震雲

嘻嘻，這叫「事後諸葛」。

LIS影音頻道 ▶

【自然系列—地科｜彈性回跳與地震成因】

地牛生態剖析！地震到底是怎發生的？

地牛睡得好好的幹嘛要翻身呢？難道是有蚊子？看著手上斷成兩半的直尺，還有眼前在地震後位置大幅移動的觀測站們，結合物理與地質兩家之長的雷德，心中覺得：該不會……

地球的結構（上）：原來地球有分層

莫霍洛維奇契

複 習一下第一課的內容：在古代，大部分的原始民族都以為地球是平的，而世界是一片被海包圍的平坦大地。一直到西元四世紀以後，古希臘的自然哲學家才透過月食時地球的陰影、航海時的視覺經驗，推論出地球其實是一顆圓球。

而通常一個問題解決了，便會很快的冒出下一個問題：既然已經知道地球的形狀是圓的，那麼地球的裡面是什麼呢？是固體、液體、還是空的？地球內部有沒有存在另外一個世界？

比太空更難觀測的地底世界

在許多民族的神話、信仰中，的確相信地底下存在著另外一個世界，而且這個世界往往與黑暗的「地獄」、「陰間」、「冥府」或「死後的世界」有關。像是古希臘人就認為地表下藏著許多祕密洞穴，這些通往地下的洞穴是進入「冥界」的神祕入口；在愛爾蘭的神話中，也有一個據說是「地獄之門」的神祕古老洞穴，奇怪的地底生物會經由這裡出現在地球表面，而地表的人們也可以從這個洞穴進入地下的煉獄。

好可怕！

同學，想了解地下世界嗎？

一般人相信地底世界神祕兮兮，一點都不稀奇，但是科學界呢？由於地底實在是太難觸及了，即便是在科學昌明、連飛行器都飛到太陽系以外的現代，人類所能鑽到地下的最深處，卻只略略超過12公里。

這是因為越往地底下挖，溫度會越高，平均每100公尺會升溫攝氏3度；挖到幾公里深時，連堅硬的鑽頭都熔化了，根本沒辦法繼續挖下去。因此探討地底的科學研究起步很晚，一直要到十七世紀末，用科學角度探討地底的第一位科學家才遲遲出現，那就是我們在第六課提到的，發現季風成因的英國天文學家——愛德蒙·哈雷。

五花八門的中空地球想像

1692年，哈雷研究地球磁場時發現，在接近極區的地方，指南針沒有辦法精準的指向南極。為了解釋這個現象，哈雷大膽的假設地球內部是「中空」的，裡面套著3個大小分別像金星、火星、水星的同心球，並以不同的速度轉動，彼此間互不接觸。哈雷認為，就是因為這些內部的球殼不斷浮動，才造成地球不穩定的磁場變化。

找還以為是箭靶呢～

哈雷在1692年提出的中空地球剖面結構示意圖，宛如層層套疊的俄羅斯娃娃。

除此之外，哈雷的「地球中空論」還有許多想像的成分。比方說，他認為不同層的球殼上住著不同的生物，而且球殼間的空氣會發光，當這些光偶爾從南極或北極的大洞洩漏到外面世界，就成為人們看到的極光。

只是，哈雷提出的假說連他自己都沒有把握，他曾說：「……講出這麼誇張又浪漫的假設，讀者可能會立刻譴責，直到我能找到足夠的證據支持為止。」

阿塔納奇歐斯・基爾學

1602～1680

德國神學、地質學、
醫學、埃及學家

不過，地球空心說並不是哈雷獨有的想法。當時，有一位名叫阿塔納奇歐斯・基爾學（Athansius Kircher，1602～1680）的博物學家，也曾在書中提出地球中空的模型。他認為空心的地球裡有地下湖泊、岩漿，還有火焰，而北極有一個漩渦將海水吸入地球內部，加熱後從南極噴出。

看起來有點像蟻窩耶。

阿塔納奇歐斯・基爾學在書中描繪的中空地球模型，並以此來解釋潮汐、火山噴發的原理。

十八世紀，瑞士數學家歐拉（Leonhard Paul Euler，1707～1783）認為，地球內部沒有多個球殼，而是有一個直徑將近1000公里的小太陽，上面住著地心生物；另一個同時期的蘇格蘭數學家萊斯利爵士（John Leslie，1766～1832）則相信，地球內部有2個同心球殼，還有2顆恆星照亮地下，他更以羅馬神話裡冥王與冥后的名字，把這兩顆恆星取名為普魯托（Pluto）與普洛塞庇涅（Proserpine）。

到了十九世紀，地球中空說出現了一個瘋狂的行動派——美國人約翰·克里夫·西姆斯（John Cleves Symmes）。

約翰·克里夫·西姆斯
1780～1829
美國軍官、商人、演說家

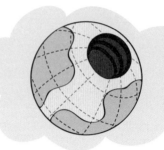

西姆斯認為，中空的地球內部有無數的同心球殼，地表則在南北極有大約2300公里寬的開口，陽光可以從這裡照亮地心，使地球內部適合居住。他發誓要親自到兩極探險證明自己的假說，更為此積極的到處演講、募款、遊說支持者贊助他的冒險計畫。可惜西姆斯壯志未酬，在探險還沒成行前就過逝了，後續他的追隨者到了南極一看，在西姆斯認為有地心入口的地方，根本什麼大洞也沒有。

事已至此，或許你以為到這裡地球中空說就該平息了吧？但事實上，每隔一段時間，地球中空說就會再度冒出來搏一下版面，像是1846年有人在西伯利亞的冰原發現了猛瑪象，就會有人懷疑，牠是不是從北極的大洞，不小心遊蕩到地表世界……

不過到目前為止，至少科學界的人都已經把地球中空論拋到腦後了。因為早在二十世紀初，就有科學家用澈澈底底的科學方法，破解了這樁橫跨幾個世紀的地底之謎。登場的是來自克羅埃西亞的氣象學家莫霍洛維奇契（Andrija Mohorovičić），他從天上研究到地下，找出了地球內部原來有分層——在地殼之下，還有地函。

氣象大師的地底之旅

安德里亞・莫霍洛維奇契

1857～1936
克羅埃西亞氣象學家、
地震學家

莫霍洛維奇契原本是一位研究天空的氣象專家。他曾在日報上推出了「天氣預報」專欄，成為第一個讓克羅埃西亞人知道「明天出門是否要帶傘」的人。

不過，這會兒讓這位氣象大師感到痴迷的玩意兒，跟天空可沒什麼關係。在1909年10月，地震研究才剛興起不久，能夠記錄地震強度與時間的「地震儀」，可是讓當時許多科學家好奇不已的新潮玩物。

「原來幾天前的地震，震源在我們附近的庫帕河谷啊！約克維奇，你看！那幾天的地震儀，測出的震波振幅這麼大！」這一天，地震站的兩位助理一邊聊著庫帕河谷的地震，一邊整理地震儀畫出的震波圖。

「唉，說到地震我就難過！」另一個助理喬爾盧卡答說，「那天我老婆新買的瓷盤全摔壞了。」

「咦？等等……」約克維奇突然發現手上的資料有點怪怪的，「你看，這幾份從其他地震站傳回來的震波圖。明明是同一場地震，怎麼測出來的震波不一樣？」

喬爾盧卡湊過頭來，心裡也覺得納悶：「對啊，明明只有一場地震，怎麼會同時接收到這麼多組訊號？」

這時候，莫霍洛維奇契從主任辦公室走出來，聽到他們兩個在討論剛收到的震波圖，便說：「你們兩位都看到了。請你們幫我收集每一個地震站收到訊號的時間，再用這些時間和地震站與震源的距離做成點狀圖。」

這是怎麼回事？

1909年發生在庫帕河谷的同一場地震，被不同地震站記錄下相異的震波圖。

「咦？主任，為什麼？」喬爾盧卡對於莫霍洛維奇契交代的任務感到不解。

莫霍洛維奇契回答說：「其實，從我們地震站架設完畢、開始收集震波圖以後，我就隱隱約約覺得，這些震波圖其實不是一組波動，而是前後分成好幾組。」

「所以，我想看看這些波動被各個地震站收到的時間，是不是和距離有關？換句話說，我想查查這些震波在地底下行進的速度。」說完，莫霍洛維奇契便離開房間，繼續去忙別的事情。

幾週過去，一天早晨約克維奇和喬爾盧卡向莫霍洛維奇契問起，這幾週來有沒有新的研究進度。

「的確是發現了一個奇怪的地方……」莫霍洛維奇契好像正想找人說說他昨晚的新發現。

「之前地震學會故意引爆炸彈，測得震波傳遞的速度大約是每秒6公里。這件事你們知道嗎？」莫霍洛維奇契問。

「知道啊！每秒6公里是目前大家公認地震波的速度。」兩位助理異口同聲的回答。

「這就是奇怪的地方。」莫霍洛維奇契說，「我研究過你們整理的波速資料。每一個地震站都收到多組地震波訊號，但是其中都只有一組波速為每秒6公里；距離震源超過200公里的地震站，似乎還有速度更快和更慢的地震波訊號出現。」

當時科學家們透過炸彈實驗，得知震波在地下會以每秒6公里的速度向外傳播擴散。

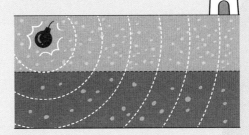

「這代表……」約克維奇不太理解的問。

「這代表雖然是同一場地震的震動，但這些地震站收到的卻是好幾陣速度不同的地震波訊號！」莫霍洛維奇契說出他的發現。

莫霍洛維奇契進一步解釋：目前大家公認地震波在「地表」傳播的波速應該為每秒6公里。如果這些地點不同的地震站收到的地震波，都是這種從地面傳來的表面波動的話，用「距離」除以「時間」所算出來的波速應該都要接近每秒6公里這個數值，而不會因為地震站距離的不同，得出不同的波速。

但事實上這次庫帕河谷地震分析的結果卻發現，位置距離震央超過200公里的地震站，會測到不同波速的地震波。這些比較快或比較慢到達的震波，到底是如何產生的呢？

「這讓我聯想到兩件事。」莫霍洛維奇契繼續說，「第一個是，波動經過密度越高的介質時，速度會越快，所以比每秒6公里快的地震波，有可能是經過密度更高的地下路線，而不是地表路線。」

「另一個是，根據折射定率，波動在進入不同的介質時，會產生『折射』和『反射』的現象。」莫霍洛維奇契提出看法，「我們觀測到比較快和比較慢的地震波，會不會就是折射和反射所造成的結果？」

「有可能！主任的腦筋動得真快耶！」約克維奇聽了忍不住讚嘆。

於是，莫霍洛維奇契作出假設：地表下深到某一個深度時，會有一個密度變大的區域，當震源發出的地震波行進到這個深度時，就會發生折射和反射現象，形成以下A、B、C三種不同速度的震波：

路徑A：直接從地表傳送到地震站的波動，速度為每秒6公里。
路徑B：在遇到密度大地層時產生反射，回到地震站的波。
路徑C：進入密度較大地層時產生折射，沿交界面行經一段距離後，再折射回地震站的波。

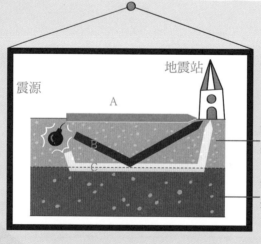

震源
地震站
A
B
C
密度比較小的表面地層
密度比較大的深處地層

莫霍洛維奇契

教授好厲害！

經過一番運算，莫霍洛維奇契和助理們從地震資料中發現，這個密度變大的地層約在地下35公里處，而且震波進入這個區域以後，波速會從原來的每秒6公里，加速到每秒8公里！

「震波在路徑B移動的速度跟路徑A一樣，但因為距離較長，所以會比A慢一點才到達。而在路徑C中，由於震波在密度大的地層中前進速度較快，所以雖然路較較長，但只要測站的距離夠遠，反而能比路徑A快到達。因此接收到震波的時間先後分別是C、A、B。」莫霍洛維奇契一步步說出他的推理。

根據目前研究，全球的莫氏不連續面其實有深有淺，最淺的位在中洋脊地表下約5公里處，而最深的出現在大陸地殼下約75公里處。

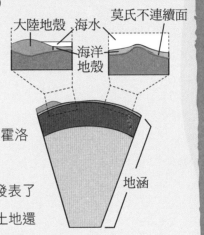

隔年，也就是1910年，莫霍洛維奇契發表了上述的研究結果，讓世人了解原來腳下的土地還能依密度大小分層。後來，人們將密度較低的上層稱為「地殼」，密度較高的下層稱為「地函」，並將上下層的交界處稱為「莫氏不連續面」（Mohorovičić Discontinuty），好紀念莫霍洛維奇契。

1922年，莫霍洛維奇契更見證了自己研究的影響力——有人用他推論出莫氏不連續面的概念，找出了更深一層的地球結構。想知道那個人究竟是何方神聖？地球內部除了地殼、地函之外，還有什麼存在？答案當然不是「地獄」、「冥界」或「地底人」！請用科學思考，聽聽下一堂課的科學故事喔！

快問快答 |||||||||||||||||||||||||||||||||||||||||||||||||||||||||||||||||||||||||||||||||||||||||||||

 火山爆發噴出的岩漿，就是地函內的物質嗎？

原始的岩漿的確來自大約地下100到250公里深的上部地函。當這裡因為某些原因溫度升高或壓力降低時，岩石就會熔融成岩漿，沿著地殼的裂縫或斷層向上湧升，甚至噴出地表形成火山噴發。

不過，原始的岩漿在上升過程中有可能產生變化。例如岩漿中某些礦物會先冷卻凝固，或是與岩漿的其他成分產生化學反應，造成岩漿的成分改變；不只如此，當部分地殼發生碰撞、擠壓，也可能使部分岩石變成岩漿，與來自地函的物質混和。所以火山噴出來的岩漿通常已經不是單純原始的地函物質。

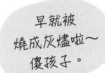

從火山口跳進去，是不是就可以去地函校外教學啦？

早就被燒成灰燼啦～傻孩子。

LIS影音頻道 ▶

【自然系列—地科│地函】氣象大師的地底之旅！
氣象大師莫霍洛維奇契，在拿到地球科學界的最新玩具——地震儀之後愛不釋手，越玩越有心得，甚至乾脆轉行研究地震。想不到還真讓他用地震儀找出了地底的祕密。

第16課

地球的結構（下）：發現地核

古騰堡

上　一堂課提到，地函是由氣象學家莫霍洛維奇契所發現的，你是不是會覺得聰明的阿莫「撈過界」，竟然把腳從天上跨到地下，硬是搶了地質學家的飯碗？但是事實上，科學在早期是不分家的，全都屬於「**自然哲學**」的範圍。尤其數學、物理、化學等等基本學科更是如此，一個科學家同時鑽研一兩門學科，甚至三科全包都非常常見，一點違和感也沒有。

　不過，如果要論起這些學科的交互應用，那情況又非常不同了。一個精通數學的人，不一定會用數學方法研究化學；精通化學的人，也不一定會用化學方法研究天氣。這種運用不同學科「交叉」研究的風氣，一直要到科學家鑽研自然現象越來越深入的近代，才慢慢出現。

　這個時間點大約出現在十九世紀的中期，當時化學家開始注意到化學反應中的濃度、溫度、速率等等條件，彼此間都有數學關係，用數學方法研究化學的「化學數學」於焉開始；隨後，物理化學、化學物理、數學物理、生物數學等等交叉學科，也紛紛登上了學術研究的舞臺。

單科都快搞不定了，還要「交叉」……

　我們在十二課提到，廷得耳用化學方法研究地球科學，找到二氧化碳和水氣在地表引起溫室效應，屬於「地球化學」；十四課的雷德、十五課的莫霍洛維奇契則運用物理觀點，發現地震的成因與地函，屬於「地球物理」。進入二十世紀後，地球物理在短短幾年間正式成為地球科學的重要分支，這門學科的奠基者是來自德國的猶太科學家貝諾・古騰堡（Beno Gutenberg）。

古氏不連續面與液態地核

貝諾·古騰堡

1889～1960

美籍德國地球物理學家

「叩、叩。」「是誰？請進！」

1908年的這一天，德國哥廷根大學的維謝（Emil Wiechert，1861～1928）教授辦公室外突然響起了敲門聲。

「教授您好，我是古騰堡。」進門的是一位長相清秀的青年。

「喔～你就是那個寫信給我，說想轉來跟著我做研究的學生，是吧？」維謝抬起頭打量這個瘦削的年輕人，「你倒是説説看，你想轉學到這兒的原因是什麼呢？」

這個自稱古騰堡的年輕人，原本在母斯塔特高等工業學校就讀，因為修了維謝教授跨校開設的地球物理課，開始對地震學的領域感到興趣。地震波的應用技術，是在十九世紀末才被研發出來的，年輕人總是容易受最新的科技吸引。

「好了，我知道了。」在聽完古騰堡解釋原因

之後，維謝熱情的張開手臂説：

哈哈，歡迎來到哥廷根的大家庭！

維謝

謝謝教授！

古騰堡

就這樣，在維謝一口答應之

後，古騰堡便進入維謝的研究室

開始地震學的修煉。他在

此學得一身分析數據的精

采功夫，尤其對於地震儀瞭若指掌

的程度，比起他的指導教授維謝，

更是青出於藍，更勝於藍。也許就是出於這個原因，幾年後，維謝教授

就把自己一直無法完成的心願，交給即將拿到博士學位的古騰堡。

「我說古騰堡，我的愛徒啊，這麼久的時間以來，我一直有個困

擾……」維謝語重心長的對古騰堡説。

「老師，你有什麼困擾儘管交待我，我一定會盡心盡力幫您解決

的。」古騰堡説。

地函密度：3.2g/cm³

高密度核心：8.21g/cm³ ?

地殼密度：2.7g/cm³

原來，維謝老早就已經運用萬有引力公式算出：地球的平均密度為

5.53公克/立方公分，但是已知的地殼和地函密度，卻分別只有2.7和

3.2公克/立方公分。所以，維謝認為地球內部一定還有一個密度更大的

區域，密度大約在8.21公克/立方公分左右，這樣地球的整體密度才可

能符合用萬有引力公式算出來的5.53這個數字。

「而且，我比對過博物館裡的隕石樣本，密度與8.21差不多吻合。所以我猜，地球內部的高密度核心，很有可能是由像隕石一樣的鐵鎳化合物所組成。」維謝說明了他的推論，「但是……我的這項推論需要證據。你使用地震儀的分析能力比我還強，可不可以幫我了結這樁心願，找出這個問題的答案？」

於是，古騰堡就接下了研究地球內部構造的任務，畢業後進入史特拉斯堡國際地震學會擔任助理兼科學家。

古騰堡想到，或許可以參考莫霍洛維奇契的研究方法，用穿透地球的震波來分析地球核心的位置。

1913年的某一天，古騰堡在分析同一場地震在世界各地的震波圖時發現到，若從震央通過地心到地球的另一端畫出一個軸，那麼以震央為頂點，與軸夾103度和143度之間，沒有辦法接收到從震源發出的地震波訊號。

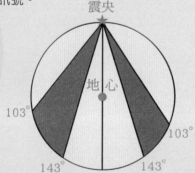

103到143度之間收不到震波的區域，就像光線被物體擋住產生陰影一樣，所以稱為「陰影區」。

同時，古騰堡也讀到英國專家的新發現，那就是經過地球內部傳到震央對面的地震波，抵達時間會比預估的慢上大約2分鐘。

「嗯，這兩件事情加起來，代表震波在經過地球深處的時候向內折射，而且前進的路線也變慢了。但是……」

古騰堡心裡知道，要使震波向內折射而且速度變慢的話，地球深處的區域「密度應該比較小」，因為密度越小的介質，波動的速度才會較慢。但是，這個現象跟維謝教授的「高密度核心」理論不符。維謝教授認為地球核心應該是由密度比地殼、地函更「大」的固態物質所組成，所以，地震波穿越過地球核心的速度應該更快，而不應該速度變慢。

「啊，會不會是……」古騰堡腦中閃過一個想法，「地核的軟硬程度影響了速度？」

古騰堡會這樣想，不是沒有原因。根據研究室裡的物理實驗，**波動在越軟、越容易變形的物質中，傳遞的速度越慢；在越硬、越不容易變形的物質中，傳遞的速度越快。**假設地球核心的物質密度很大，但是質地偏偏很軟，震波經過的時候的確很有可能減慢速度。

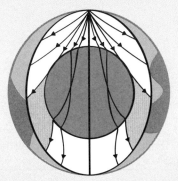

震波經過地核時，就像經過凸透鏡一樣向內折射，因此產生了震波無法抵達的「陰影區」。

為了確認這個想法，古騰堡調閱了當時地質學家們的鑽探資料，結果顯示地底隨著深度越深，環境溫度果然就會變得越來越高。

好熱！每深入地底100公尺，溫度就上升攝氏3度。

「啊哈！這就對了！」這個現象與古騰堡的推論不謀而合。所以，古騰堡在腦裡把前面兩個互相矛盾的論點兜起來了，那就是：地核的密度的確像鐵鎳化合物那麼大，但是因為越往深處溫度越高，地核的鐵鎳化合物很可能被溫度軟化，甚至熔解成液態！所以當震波經過又熱又軟的地核，速度就會慢下來！

接下來要做的事，就是確認液態地核究竟是位在哪個深度。古騰堡迫不及待的收集來更多國家的震波訊號，在經過一連串的比對和複雜的計算以後，一個位於地表下2900公里深，與地球表面相同圓心的同心圓慢慢成形，那裡就是地函與地核的交界面。後人為了紀念發現地核的奧爾德姆（Richard Dixon Oldham，1858～1936）和古騰堡，稱這個交界面為奧氏—古氏不連續面（Oldham-Gutenberg Discontinuity），或者簡稱為古氏不連續面。

地球的核心總算被人類找到了，原來地球就像硬漢一樣，雖然有著冷冽的外表，內裡卻藏著一顆熾熱的心啊！

真有你的！古騰堡！

沒有啦，是教授教的好～

不過，接下來古騰堡的研究生涯並不順利。就在古騰堡發表研究成果的第二年，第一次世界大戰爆發了！雖然當時的他已經躋身世界知名的地震學者，還是受到國家號召，進入軍隊到前線打仗（真是浪費人才！）。

沒多久，古騰堡因為被手榴彈炸傷頭部而撤出前線，被指派到後方做一些奇奇怪怪的研究，像是研究德國士兵釋放的毒氣會不會飄回來毒死自己人，或是利用震波偵測技術，辨認敵人的加農砲藏在哪裡……這一切的一切，都偏離了古騰堡想要成為地震專家造福人群的初衷啊！

古騰堡的地球物理長才，在戰爭期間卻被國家用來研究如何打勝仗，跟當初他的心願背道而馳。

　　還好在4年後，混亂的大戰終於結束。不過，本來要聘用古騰堡的德國地震研究所，因為戰後一片混亂，一直沒有成立起來；古騰堡找不到其他的研究工作，只好回家幫忙戰死的弟弟經營肥皂工廠。這一晃眼，12年就過去了。古騰堡這位肥皂廠裡的科學家，就這麼白天工作，晚上研究，12年如一日，一直沒有停止過。

　　1928年，古騰堡的恩師維謝教授過世了。可是這個時候，德國境內的大學開始瀰漫一股奇怪的氣氛。身為猶太人的古騰堡知道，那是一種反猶太人的不友善氛圍；不管他再怎麼積取爭取，再怎麼證明自己的能力，都無法獲得維謝教授過逝後的職位空缺。

　　因此當1930年，美國加州理工學院跨海向古騰堡招手時，古騰堡便毅然決然的離開家鄉，搬到加州赴任，繼續在自由的世界裡從事他深愛的地震研究。後來過了幾年，第二次世界大戰爆發，猶太人在歐洲慘遭德國納粹瘋狂迫害與屠殺；古騰堡積極的把數十位猶太科學家從歐洲救出來。這些猶太科學家在自由世界，繼續的發光發熱，把一身的科學能量全都貢獻給了美國。

　　試想，如果這些猶太科學家沒有逃出來，全被納粹殺害了，那不只是美國的損失，也是德國的損失，乃至於全世界的損失，不是嗎？！

快問快答 ||||||||||||||||||||||||||||||||||||||||||||||||||||||||||||||||||||||

 為什麼地核內的主要物質是鐵和鎳？

目前人類往地下鑽探的深度最深不到13公里，這個深度連地殼都還沒穿透，更不用說要碰到地核、研究地核的成分了。人們之所以認為地核主要由鐵、鎳組成，是將地核的密度與含有鐵鎳成分的隕石比對，間接得到的推論。

至於為什麼是鐵、鎳，而不是其他的金屬或非金屬成份呢？根據天文學家的理論，質量較大的恆星在燃燒過程中，內部進行的核融合反應，會將氫、氦等較輕的元素融合成鐵、鎳等密度比較大的重型元素；在大恆星「死亡」後，這些重型元素會被釋放出來，成為其他天體的「材料」。

而在形成太陽系的初始氫氣雲中，就混合了這些來自上一代恆星釋出的重型元素。所以，當初生的地球由含鐵、鎳的氫氣雲慢慢聚攏、凝聚，密度較大的重型元素在萬有引力作用下沉積到地球的最中心，鐵和鎳自然成為地核中最主要的成分了。

原來鐵的歷史這麼悠久啊！

這樣算是用星星做成的餐具吃飯嗎？太神奇了！

LIS影音頻道 ▶

【自然系列─地科｜地核】地球也有一顆炙熱的心！
從老師手上接過地震儀與難題的古騰堡青出於藍，很快就發現了觀測到的震波圖有些不對勁。左思右想沒有頭緒的古騰堡，有一天突然想起了地底「越深越熱」的特性，這下真相可就大白了！

第 17 課

大陸漂移說

韋格納

陸　地與海洋是怎麼形成的？地球上為什麼會有高山、低谷和平原？各大洲奇形怪狀的獨特地形又是怎麼來的？

來自美食的靈感 烤蘋果理論

　　在十九世紀中葉，人們普遍以愛德華蘇斯（Eduard Suess）的「**烤蘋果理論**」來回答這些問題。烤蘋果理論認為，地球表面在上古時代並不是固體，而是呈現高溫的熔融狀態；當地球逐漸冷卻下來，地球的表面開始收縮並且產生皺褶，就像烤蘋果的外表一樣變得皺巴巴，由此形成了高低不平的地形和不規則的海岸線。

愛德華・蘇斯
1831～1914
奧地利地質學家

　　當時，人們相信地球的陸塊是固定不動的；地球在過去曾經出現「冰河時期」，大量冰雪堆積在地面上使得海水下降並露出海底的陸地，讓古代動物能遷移到不同的大陸上，所以在隔著海洋的現代大陸發現同種動物的化石，一點也不足為奇。

　　蘇斯就曾經以舌羊齒蕨的化石分布在南美洲、非洲和印度的現象，推論這三塊大陸在古代冰河時期曾經連在一起，成一塊超級大陸。他把這塊超級大陸命名為岡瓦納大陸。冰河時期過去以後，海水又填滿這三個大陸之間的低窪地區，形成我們現在看到的模樣。

　　蘇斯更把他的主張寫成《地球的面貌》（Das Antlitz der Erde）一書，多年來普遍受到學界歡迎。一直到20年後，才殺出一個半路出家的氣象學者韋格納（Alfred Lothar Wegener），對烤蘋果理論提出質疑。

　　不過，韋格納提出的「大陸漂移」理論在當時非常驚世駭俗。最後到底是廣受歡迎的烤蘋果勝利，還是受人嫌棄的大陸漂移說獲勝呢？科學一向不是大聲就贏，要看誰能耐得起眾人不斷檢驗，才會是留傳千古的真理。

把南美洲與非洲拼起來

阿爾弗雷德・韋格納

1880～1930

德國地質學家、氣象學家、
天文學家

「哇！破紀錄了！破紀錄！」

二十六歲的韋格納和他哥哥釋放的氣象氣球，已經在空中飛行超過52個小時，比先前的最高紀錄，多了將近17個小時！這代表他們不但在這場戈登・班內特氣球飛行賽（Gordon Bennett Contest for Free Balloons）中拿下冠軍，還一舉破了世界紀錄！

「你看，氣象與氣候學的調查研究多麼好玩！我才不想只是坐在研究室裡，跟一堆數學公式與呆板的望遠鏡關在一起呢。」韋格納興奮的對哥哥說。

令人興奮的還不只如此。幾年後，氣候學領域的前輩柯本（Wladimir Köppen，1846～1940）介紹了女兒愛絲（Else Köppen，1892～1992）給韋格納認識。可愛的愛絲馬上被這位充滿魅力的年輕小伙子迷得神魂顛倒，他們也順利在五年後成婚。兩人感情如膠似漆，即使在外出做調查時，韋格納還是經常寫信給待在家裡的愛絲。

愛侶間的書信總是充滿甜言蜜語。可是在1910年12月，韋格納寫給愛絲的情書中，卻夾雜了一個影響深遠的玩笑話：

「親愛的愛絲：

……今年的耶誕節，我收到了朋友送我的世界地圖。看著這張地圖，……我竟驚訝地發現，南美洲東部與非洲西部的海岸線，形狀竟然是那麼的相合！該不會在很久以前，它們其實是連接在一起的吧？……」

雖然不知道當時愛絲看到了這句話，心裡怎麼想？但是誰也沒料到，這個天外飛來的奇思異想，未來將讓年輕的韋格納在世界的科學舞臺上留下盛名。

爸爸從北極探險隊帶回來的小伙子好帥氣！

南美洲東部的海岸線和非洲西部十分吻合。

在這封信的一年後，時間正值秋天的某日，韋格納一如往常在圖書館裡閱讀研究資料時，意外發現了一個驚人事實：南美洲東部和非洲西部在兩億年前的許多生物化石，居然大部分是相同的！

「這真是太令人吃驚了！這兩個大陸之間明明隔著廣大的大西洋……難道……難道在2億年前，南美洲與非洲真的是連在一起的？」韋格納想起了一年前寫給愛絲的那封情書，信上那句不經意的玩笑話可能是事實！

接下來，來自古代的生物化石證據又展現在韋格納面前。韋格納在南美洲東部和非洲西部都找到了「**舌羊齒蕨**」這種植物化石。舌羊齒蕨的種子很重，不像蒲公英的種子一樣可以隨風飄揚，那為什麼在相隔將近7000公里這麼遠的2塊大陸上，會都有同樣的這種植物化石？甚至五大洲都能找到它的化石蹤跡？

不只如此，韋格納還在非洲和南美洲某些區域的化石中，找到「**中龍**」（Mesosaurus）化石的分布。中龍是生活在2億6000年前，二疊紀時期的小型爬蟲類動物；牠們是棲息在淡水的水生生物，不可能游過廣大的大西洋。

北美洲　歐洲
非洲
南美洲

韋格納注意到隔著大西洋的南美洲和非洲，
出現分布模式類似的舌羊齒蕨和中龍化石。

如果要用蘇斯提出的「陸橋」理論來解釋，似乎也不太合理，因為中龍如果真的有辦法透過陸橋遷徙到那麼遠的對岸去，為什麼會只分布在非洲南部和南美洲南部的一小塊區域，而不是更廣大的範圍呢？這代表牠們很可能是一種用游或跑都跑不遠的生物，無法長距離遷移，原本就生活在非洲南部和南美洲南部相連的這一小塊區域裡。

「會不會是在古代，地球各大洲的陸塊全部相連在一起，但是後來因為外力而分離開來了呢？」韋格納想。

為了證明自己的想法是正確的，韋格納決定回到他自己的氣象學專業領域，尋找更多證據。他發現，地處熱帶的非洲南方竟然找到和南美一樣的溫帶植物化石。

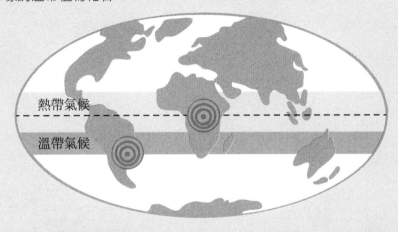

熱帶的木材

溫帶的木材

年輪不明顯

年輪深淺分明

韋格納利用樹幹化石中的年輪，來判斷古代的氣候。因為植物的樹幹在不同溫度中生長時，會產生深淺不同的顏色：氣溫冷涼時，樹幹的細胞生長緩慢，細胞小，所以密集在一起顯得顏色較深；氣溫溫暖時，細胞生長快，細胞大而疏鬆，所以顯得顏色較淺。溫帶因為四季分明，所以年輪深淺明顯；但是熱帶四季皆熱，因此沒有明顯的年輪。

而且位在印度、非洲南部、南美洲南部和澳洲南部、南極洲等不同緯度的地區，竟然都有同樣的冰河地形和冰河流經大地留下的刮痕。

　　這些冰河地形代表這些地區，在古代曾經同時處在冰冷的溫帶或寒帶氣候區；它們曾經相連在一起，是一直到了近代才各自漂流到現在所在的不同緯度地區。於是，**韋格納把所有的陸地沿著海岸線的形狀與相對位置，拼湊成一塊大陸，而這塊大陸上的古代氣候和動、植物化石，完美的互相吻合。**

> 韋格納發現，如果將各大陸依海岸線的形狀拼湊起來，則大陸上冰河地形、動植物化石的分布，竟然恰好與對應的氣候條件完美吻合。

當代的大陸分布

韋格納拼湊出的盤古大陸

　　韋格納在1912年的德國地質大會上，公開發表了他的理論：

　　「各位，我認為在很久以前地球上的大陸曾經全部相連在一起！」韋格納邊說邊指著地圖，「大家看看南美洲東部與非洲西部這兩條相符的海岸線，它們就像一張被撕開的報紙，兩邊的文字都是相連的。」

　　「現在世界上的各個大陸也是以類似的方式，從前連接在一起，後來才被撕裂開來。」韋格納慎重的說，「我想稱呼這個現象為『**大陸漂移**』。而這個古老的超級大陸，就叫做『**盤古大陸**』！」

此話一出，在座的科學家紛紛露出咋舌的表情，他們認為這個傢伙太過天馬行空，人們腳底下的大陸怎麼可能「漂流」？大陸會移動這件事在當時人們的心中，是根本不可能發生的事。

隨後，韋格納在1915年出了一本叫《陸與海的起源》（Die Entstenhung der Kontinente und Ozeane）的書來說明自己的理論，但大家依然對他一笑置之；幾年後這本書發行了英文版，批評聲更是排山倒海而來，美國石油地質學家協會甚至召開會議大力抨擊。

為什麼韋格納的大陸漂移說會遭受火力如此強大的攻擊呢？主要是因為韋格納認為：盤古大陸分裂的原因是由「潮汐的力量」和月球繞著地球公轉的「離心力」所造成的。這兩種力量自2億年前撕開盤古大陸，到如今，歐洲與北美洲還以每年250公分的速度，相互分離。

批評者認為，韋格納提出的這些力量都太微小，無論花多久的時間，都不足以推動巨大的盤古大陸；就算把潮汐、月球對地球公轉的離心力放大數倍到可以推動陸地，根據計算地球很有可能因此在1年內停止自轉，所以根本是不可能的事！

怎麼會這樣⋯⋯

太可笑了！

韋格納當時提出的理論不僅沒辦法說服其他人，還召來陣陣嘲笑。

或許當時，美國與德國之間剛好在第一次世界大戰中發生衝突，所以美國的科學家們對於來自德國的韋格納，可是毫不客氣。韋格納的晚年幾乎都是在面對眾人的批評、鬱鬱不得志的情況中渡過。

令人遺憾的是，1929年韋格納在格陵蘭的冰天雪地中，尋找大陸漂移的氣候證據時，因為發生暴風雪而補給受阻，他和他的伊努特嚮導消失在寒冷的冰原之中。8個月後，搜救隊才找到韋格納的遺體，結束了他天馬行空、充滿冒險精神的精彩一生。

嗚嗚，親愛的老公……

為了科學犧牲不算什麼，但我好想知道大陸為什麼會動阿……

韋格納前輩，看我的吧！

阿瑟・赫姆斯
1890～1965
英國地質學家

　　不過，韋格納的大陸漂移說，並不是完全沒有支持者；其中最重要的一個，就是來自英國的地質學家阿瑟・赫姆斯（Arthur Holmes）。赫姆斯不只認同韋格納的大陸漂移說，還努力利用自己的研究，找出可以用來解釋大陸漂移的動力來源。

　　經過精密計算，赫姆斯發現，韋格納所說的「潮汐力量」和「月球公轉的離心力」的確不足以推動大陸的移動。但他另外想到，地底下的岩漿能量相當巨大，能造成火山爆發或大地震，或許岩漿就是推動大陸漂流的主要力量來源？

　　不過，岩漿為什麼會有源源不絕的熱能？是誰提供能量，讓岩漿能像煮沸的熱水般不斷對流，緩慢的推動大陸呢？經過一番努力，赫姆斯發現地殼和地函中的放射性元素，能不斷的衰變產生熱能；而地底深處的液態地核，又能不斷的傳遞高溫給接近地表的岩漿，保持岩漿不斷對流的動能。

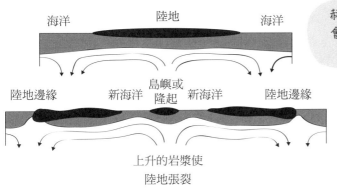

海洋　　　　陸地　　　　海洋

陸地邊緣　新海洋　島嶼或　新海洋　陸地邊緣
　　　　　　　　隆起

上升的岩漿使
陸地張裂

赫姆斯認為地函對流中上升的岩漿，會使得陸地張裂，造成大陸漂移，並產生島嶼、海洋或其他新的地形。

　　換句話說，赫姆斯找出地核的熱能推動岩漿，而岩漿又推動了大陸的理論，使得大陸漂移的現象成為可能。但是事情到這裡都只是推論，韋格納的「大陸漂移說」如果要說服大家，還缺乏真實的證據，那就是實際上可以觀察到的，岩漿對流所造成的陸地變化。

　　赫姆斯預測，人們應該可以在地球的某處找到，因為岩漿對流而被岩漿衝破的陸塊或隆起，還有陸塊相互擠壓及下沉的位置。但是這些現象會在什麼時候被人們發現呢？答案是在韋格納發表大陸漂移說後將近40年。一位名叫海斯（Harry Hammond Hess）的學者提出的「海底擴張學說」，將使韋格納的大陸漂移說大大翻盤，從眾所唾棄的無稽之談，一躍成為現今地球科學界中大多數學者所認可的厲害理論。或許韋格納在安然閤上雙眼之前，想也沒想到會有這一刻吧？

應該會吧？

岩漿上衝處會不會找到地表被衝破、隆起的地形？岩漿下降處會不會發現有陸塊相互擠壓、下沉的地形呢？

敬請期待，嘻嘻。

快問快答

 1 現在世界的大陸仍然在漂移中嗎?

沒錯,我們腳下所踩的大陸板塊目前仍以每年幾公分的速度緩慢漂移。這些板塊「分久必合,合久必分」,只不過從聚合的超級大陸到分裂、漂移,再聚合成下一個超級大陸,通常需要4到6億年的時間。距離我們今日最近的一塊超級大陸,是3億年前形成的「盤古大陸」(Pangea),我們正處於盤古大陸向外漂移、分散的階段。

科學家們認為,在未來的2億到2.5億年後,地表將再度形成另一個超級大陸!至於這個超級大陸長什麼樣子,目前科學家們還沒有討論出共識,也許你可以拿起地圖像韋格納一樣拼拼看喔!

等到大陸合併,我們就出發用腳踏車環遊世界吧!

 **LIS影音頻道** ▶

【自然系列—地科|大陸漂移說】

如果活在這個時代,從美洲到非洲不用5分鐘?

雖然現在地球有歐洲、亞洲、非洲等大陸塊,但在古早古早以前地球竟然只有一塊大陸……嗎?

【自然系列—地科|地函對流和軟流圈】**是誰在幫地函加熱保溫?**

赫姆斯接下了韋格納的棒子,發現果然在地底深處有股神祕力量可以推動大陸,到底是什麼東西有如此神力?

第18課

追蹤聖嬰現象

畢雅可尼

弗里喬夫・韋德爾-亞爾斯伯格・南森
1861～1930
挪威探險家、科學家

　　自古以來，人類就懂得駕馭風力推動船隻。到了二十世紀，人們都還相信，風不但會吹動船隻，還會推動海水成為「海流」——風往哪個方向吹，海流就往哪個方向流去。

　　不過，隨著人類的航海經驗越來越多，發現風向和海流方向不符的情況也越來越頻繁。這代表著除了風力之外，海流的方向還受到其他因素的影響。但是，究竟是什麼影響著海流呢？

　　1894年，挪威探險家兼科學家南森（Fridtjof Wedel-Jarlsberg Nansen）航行到北極時發現，關閉動力的船和浮冰在海面漂移的角度，竟然與風向偏離了20度到40度。這代表海流方向跟風向之間，可能有很大的差異。

　　於是，南森請同事威廉・畢雅可尼（Vilhelm Friman Koren Bjerknes，1862～1951）安排學生研究這個問題。畢雅可尼的學生——艾克曼（Vagn Walfrid Ekman，1874～1954）發現，風跟海水都會受到地球自轉的科氏力影響，但是因為風和海水的密度不同，受力後的偏轉方向也不一樣，兩者之間才會出現方向差異。

氣質好特別的科學家

怎麼樣？我是不是跟他一樣帥？

哈，變成海盜了啦！

　　至此，人類漸漸感到地球其實是一個巨大而複雜的動態系統，系統中不同的力量彼此間會互相影響，像是天氣溫度影響氣壓、氣壓影響風向、風向影響海流等等。那海流呢？會不會也反過來影響著天氣與溫度？這個問題的答案被老畢雅可尼的兒子——小畢雅可尼（Jacob Bjerknes）攻克了。以下就是小畢雅可尼如何在異常天氣的背後，揭開海水與全球大氣之間神奇互動關係的故事。

東風、海流、炸彈與聖嬰

雅各布・畢雅可尼
1897～1975
瑞典美籍氣象學家

1897年，畢雅可尼出生在瑞典的首府斯德哥爾摩。他的爸爸老畢雅可尼是一位物理海洋學家，同時也是創新、前衛、走在世界前端的氣象學家。小畢雅可尼從小在父親身邊團團轉，不只受到耳濡目染，也有許多機會與其他物理海洋學家交流，所以畢雅可尼從很年輕就燃起對海洋力學的興趣，長大之後似乎就順理成章的，走往跟爸爸同一個方向的學術道路上去。也因此，畢雅可尼早在還沒拿到博士學位之前，就已「英雄出少年」，以精通海洋與氣象研究在學界聲名大噪。

1939年，原本在挪威任教的畢雅可尼，受邀到美國加州大學的氣象學系擔任系主任。不巧的是，當時第二次世界大戰正好爆發，畢雅可尼前腳才離開挪威，挪威就被德國納粹硬生生佔領了。

自此以後，畢雅可尼便終其一生都住在美國，並且在幾年後，美國準備用原子彈轟炸日本時，以氣象專家的身分協助美軍挑選適合轟炸的天氣與日期。

如果不是為了讓戰爭趕快結束，我也不願意啊……

美軍藉助畢雅可尼的氣象長才，挑選了適合在廣島（左）、長崎（右）飛行並投下原子彈的天氣與日期。

1950年後，畢雅可尼開始轉向研究美洲沿海的氣候與海流，尤其是千年以來印地安巫師和科學家都無法解釋的「**聖嬰現象**」（El Niño）。

南美洲秘魯地區的居民很早就注意到，每隔2到7年，原本低溫、乾燥的天氣就會莫名升溫，並且下起5個月以上的雨；雨水讓許多農作物歉收，漁民也因為海水增溫而無魚可捕。這種時候，有些南美洲的古代文明甚至會用活人獻祭，只為了祈求神靈，讓這種異常天氣趕快過去。

活人獻祭有用嗎？

不知道，試試看再說。

由於這種神祕現象幾乎都在聖誕節前後開始，因此1892年，祕魯海軍艦長卡里約（Camilo Carrillo，1844～1898）將它命名為「聖嬰」現象。

當時，不少科學家都陸陸續續發現，出現聖嬰現象時，南太平洋赤道地區原本盛行的東風會減弱，有時甚至會神祕消失。

　　不只如此，畢雅可尼也從前人對南美洲地區的長期紀錄中發現，每當南太平洋赤道附近的東風減弱時，秘魯沿岸就會出現長達近半年的降雨現象。

　　「奇怪，風力減弱跟下雨有什麼關係？」畢雅可尼相當納悶，「一個地區的天氣狀況不是主要受到氣壓的影響才對嗎？赤道的東風減不減弱，跟秘魯下不下雨怎麼會有關係呢？」不過，時間點這麼吻合，畢雅可尼心裡知道這一定並非巧合。

　　為了解開這個謎題，畢雅可尼的當務之急，就是先大量研讀過去有關的研究資料。他找到幾份文獻與秘魯沿岸的「海流」有關：一位來自普魯士（現今德國）的科學家發現，秘魯沿岸會有一股冰涼的海流，從南往北流過來；後續還有其他研究顯示，這股低溫海流是因為赤道的東風，把秘魯北部的溫暖海水往西吹走以後，才從高緯度的南方向北流過來補充空位，除此之外，海底的低溫海水也會往海面遞補，形成一股冰涼的「湧升流」。

　　「原來，這兩股來自深海與南方的冰涼海流，就是平時讓這裡的海水溫度偏低的主因。但是現在東風減弱、甚至消失了，那會不會……」畢雅可尼的腦袋一下子閃過東風吹拂跟湧升流的畫面。

平常時　　　　　強勁東風

溫暖海水

印尼　太平洋　冰涼的湧升流　秘魯

畢雅可尼聯想到，聖嬰現象發生時，東風減弱必定會造成向西的海流跟著減弱，大部分的海水將留在原地，來自南方的冰涼海流也就不會向北補充，來自深處的冰涼海水更不會湧升到秘魯的沿岸來了。

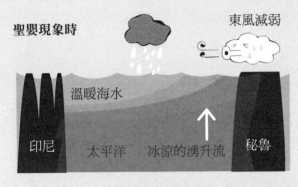

聖嬰現象時

東風減弱

溫暖海水

印尼　　太平洋　冰涼的湧升流　秘魯

發生聖嬰現象時太平洋在赤道地區的海流情況。

　　「換句話說，東風減弱造成了原本應該要從海底湧升的冰冷海水變少，這使得海水升溫，會不會就是聖嬰現象持續下雨的主因呢？」於是，畢雅可尼根據他對氣候的了解，繼續往下推論。

　　通常，地表溫度的改變會造成上方氣壓的變化，而海水表面的溫度也一樣。因為熱脹冷縮的原理，當海洋溫度下降時，海水上方的空氣會冷縮、密度變大而下沉，形成一塊高壓地帶，帶來晴朗無雲的好天氣；相反的，當海洋溫度上升時，海水上方的空氣也會受熱後膨脹變輕、向上抬升，形成一塊低壓地帶，帶來容易降雨的壞天氣。

　　「所以，聖嬰現象長期下雨的原因該不會……」畢雅可尼一邊想一邊在紙上寫下：

東風減弱→冰涼的湧升流減少→海水升溫→
上空出現低氣壓→下雨的壞天氣

換句話說，聖嬰現象也許是風力改變影響了海流，而海流的改變造成了陸地的天氣變化！

「如果這樣的推論正確，這可是個重大突破！到目前為止，人類還沒有發現，原來海流的變化會引起這麼大範圍的天氣改變啊！」畢雅可尼為推論的結果感到非常的興奮。

不過，推論畢竟只是推論，如果真的要證明這番推論是正確的，那麼以下三個現象發生的時間點應該要互相吻合：

❶ 在聖嬰現象快出現時，南太平洋赤道地區的東風應該轉弱

❷ 接著，海面的溫度應該上升（代表湧升流減弱）

❸ 最後，則是秘魯沿岸出現長時間的低氣壓與降雨；而且如果赤道周邊的東風又逐漸增強，那麼秘魯沿岸的低溫海流應該又會再度出現，並且又變回平常乾燥晴朗的天氣。

為了驗證自己的想法是對的，畢雅可尼搜集從1935到1967年間，整個南太平洋的海水溫度分布、風向以及海流方向等等測量記錄。這期間發生了七次聖嬰現象。他分析後發現：

❶ 在聖嬰現象出現前半年左右，南太平洋赤道周邊的東風就開始逐漸減弱。直到又過了大半年以後，東風強度才回復到正常大小。

❷ 聖嬰現象出現前半年左右，秘魯沿岸的海水會從原本的攝氏20度左右開始升溫，直到聖嬰現象出現時到達攝氏23.3度，也在大約半年後才恢復平常溫度。

❸ 聖嬰現象出現時，秘魯沿岸乃至於南太平洋中部的氣壓，比平常的氣壓低了大約4毫巴，要等到當地海水溫度降回原來的數值，當地氣壓才會升高回來。

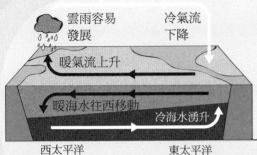

雲雨容易
發展

冷氣流
下降

暖氣流上升

暖海水往西移動

冷海水湧升

西太平洋　　　　　　　　東太平洋

在正常情況下，赤道附近的東風帶動被太陽曬暖的表層海水往西流動，使西太平洋地區變的溫暖、容易降雨；原本東太平洋表層海水離去後的空間，則由深海湧上來的冷涼海水補充，使東太平洋地區變的涼爽、較少下雨。

在聖嬰年期間，赤道附近的東風減弱，讓暖海水減緩往西移動，東太平洋也就較少有冷涼的海水湧升，造成熱帶太平洋相較於正常年「西冷東暖」，連降雨區也向東移動。

雲雨容易發展　　　　　冷氣流下降　　　　　　聖嬰年

暖氣流上升

暖海水東移

冷海水湧升減弱

西太平洋　　　　　　　　東太平洋

　　整體而言，風力、海流、溫度、氣壓和降雨的時間等等條件，都非常符合畢雅可尼的推論。於是他在1961年和1969年各發表了一篇論文，除了證明南太平洋赤道東風和秘魯沿岸低溫海流消失時，會讓南美洲西岸變得潮濕多雨以外，甚至還會連帶的讓東南亞、大洋洲西部和澳洲北部出現乾燥，甚至大乾旱等氣候異常現象！這個大範圍的氣候異常，後人稱之為「聖嬰—南方震盪現象」。

　　不只如此，一旦秘魯沿岸發生聖嬰現象而海水升溫，形成「暖流」，往南方海域入侵時，南方的沿岸也會因為水溫的劇烈升高，使魚群大量死亡，大大的打擊了沿岸國家原本生機蓬勃的漁業。換句話說，調皮的聖嬰不只在秘魯一帶發威，它的威力會藉著海水和大氣的流動，影響到附近乃至於全世界的其他國家！

就這樣，畢雅可尼的研究結果向世人正式說明了：看似不相關的海洋與大氣之間，其實會發生交互作用；而聖嬰現象這種異常的海水增溫現象雖然源自熱帶，卻能改變全球的大氣環流，大大的影響世界各地的氣溫與降雨。

這一系列由畢雅可尼開始對於聖嬰─南方震盪現象，以及海流對氣候變遷影響的研究，改變了人類看待世界的方式。原先，人類以為世界的不同部分是獨立各自運作的，後來才發現，原來我們的世界處處息息相關、牽一髮動全身。1960年代，美國氣象學家愛德華‧羅倫茲（Edward Norton Lorenz，1917～2008）甚至提出「蝴蝶效應」，意思是「一隻弱小的蝴蝶在南半球拍翅，就有可能引發北半球的一場龍捲風」；換句話說，在這個世界上，再微小的改變，都可能經由一連串的連鎖反應放大，讓大自然產生巨大的變化。所以，我們有什麼理由小看自己的一舉一動？你說是嗎？

快問快答 ||||||||||||||||||||||||||||||||||||||||||||||||||||||||||||||||

1 新聞報導曾經提到「反聖嬰」現象。這是跟聖嬰現象「相反」的意思嗎？

科學家先發現的「聖嬰現象」（El Niño），其西班牙文有著「幼年基督」和「小男孩」的雙重意義。

聖嬰現象是東太平洋赤道地區海水溫度異常「變暖」的現象，會造成許多地區的氣溫和雨量發生異常變化。但是後來，科學家又發現這裡的海水有時候也會異常「變冷」，造成的氣候影響也差不多與聖嬰現象相反，所以刻意給它取了相反的名字──「La Niña」，也就是西班牙文中「女孩」的意思，但是我們中文習慣稱之為「反聖嬰」現象。

2 聖嬰現象也會影響臺灣的氣候嗎？

會！但是並沒有太明顯。根據科學家研究，聖嬰年的夏天臺灣會比較涼爽、颱風也比較少，而且接下來的冬天會比較暖和；到了第二年春天，雨水則會偏多，夏天的氣溫也比較高。

3 古騰堡發現海流會影響陸地的氣溫和雨量，那麼四面環海的臺灣也會受到附近海流影響嗎？

答案是——當然會囉！影響臺灣氣候最明顯的是「黑潮」。在東北信風常年吹拂下，赤道地區的溫暖海水由東往西形成「北赤道洋流」；當北赤道洋流一頭撞上大陸沿岸後，轉而由南往北流的支流，就成為了我們所看到的「黑潮」。

黑潮的顏色比一般海水深，寬度超過200公里，流速每秒1到2公尺。如果從東海岸搭船由岸邊開往外海，到了岸外幾海浬處，就能遇到黑潮。

黑潮像一條海上高速公路，帶來的溫暖海水造就了臺灣溫暖、潮溼的天氣型態，不但使島上作物欣欣向榮，溫暖的海水也吸引魚群，在臺灣四周形成漁產豐富的重要漁場。

> 哇，黑潮的顏色好深！

> 這是因為黑潮中的雜質較少，不太會反射光線到我們的眼睛。

> 難怪叫做「黑」潮～

LIS影音頻道 ▶

【自然系列—地科 | 聖嬰現象】大乾旱與氣候異常難道跟聖誕節有關嗎？

在南美洲沿海一帶，每隔幾年在聖誕節前後天氣會忽然大異常，嚴重影響當地人民生活，甚至讓人以「活人獻祭」祈求上天停止這惡作劇。但畢亞可尼才不相信這是什麼超自然現象呢！

第19課

海底擴張學說

海斯

在 第十七課我們提到，德國氣象學家韋格納提出的「大陸漂移說」後，即使拿出大量的地層、化石、古氣候證據，仍然被大家冷落，甚至取笑長達好幾十年。個中原因除了韋格納拿不出「直接」的證據之外，最主要的，還是在那個缺乏精確大地測量技術的年代，要讓人們相信腳下的陸地會以每年幾十公分，甚至幾公尺的速度「漂移」，實在是天方夜談。

雖然，隨後赫姆斯提出了地函熱對流的理論，認為韋格納的大陸漂移很可能是受地下的岩漿推動，但是這個理論跟大陸漂移說一樣，除非直接的證據出現，否則推論只是推論，仍然無法強而有力的說服大家。

大陸真的會漂移，請相信我。

韋格納

給我證據，其餘免談！

隨著韋格納在格陵蘭的冰原中逝世，韋格納的「大陸漂移說」也隨著時間慢慢的沉寂……直到第二次世界大戰來臨。在第二次世界大戰期間，軍方極力鑽研海底探測技術、探索世界各大洋的海底地形，好偵測、攻擊敵方潛水艇；戰爭結束後，這些技術和海底地形資料並沒有隨之消失，反而為地球科學研究注入一股革命生力軍。

也正是這批生力軍，讓韋格納的大陸漂移說從被大家取笑的對象，一躍變成地球科學革命的始祖。其中最重要的轉捩點就是，熱衷於海上冒險的地質學家海斯（Harry Hammond Hess）提出了「海底擴張學說」。這個深藏在大洋之下的祕密發現，證實了赫姆斯的地函熱對流是對的，也終於讓韋格納的大陸漂移學說變得完整。

戰艦上的科學家

哈里．哈蒙德．海斯

1906～1969

美國地質學家、海軍軍官

海斯出生於1906年的美國紐約市。1927年，他原本就讀耶魯大學的電機系，但是因為突然對地質學產生了濃厚的興趣，因此轉入地質學系，展開後來長達40年的地質學研究生涯。

在當學生的時候，海斯就是個老菸槍，礦物學甚至於被教授當掉，但是這一切都無法阻擋他在地質學上勇往直前的志向。1931年，海斯還在普林斯頓讀研究所時，就因為參與西印度群島的調查計畫，從此和美國海軍的潛艇部門結下不解之緣。

拿到博士學位以後，海斯在大學任教了幾年，並且以美國軍方提供的水下資料，發表了第一份關於海洋地質的研究論文。但是到了1941年，美國因為珍珠港遭受日本偷襲，因此參與了第二次世界大戰，此時海斯決定投筆從戎，暫時離開學術研究，到他所熟悉的美國海軍為國家貢獻自己的力量。

當時海斯因為有著豐富的海洋和航行知識，被任命為裝備有海底聲納的武裝運輸艦——「傑森岬號」的艦長。雖

正在舊金山灣航行的傑森岬號

哇，好帥！

然離開學校已經好幾年，海斯仍然沒有忘記自己對地質學的熱情。

在傑森岬號上，他總是讓聲納系統保持開啟狀態，說是為了監視敵軍，但事實上，他也想藉機一睹海底地形的神祕樣貌。

在第二次世界大戰中，英、美等國收集來的海底資料總是讓海斯驚喜連連，尤其是美國海軍發現——大西洋中央有一道高聳、狹長的海底山脈，山脈上有連續的裂口，而且縱貫大西洋南北兩端幾千公里。

雖然之前各國船隻就陸續有人發現類似的訊息，但直到近來大家才把真相拼湊起來。原來全球各大洋海底都有類似的地形分布，因此這種奇特的海底地形被命名為「中洋脊」（Mid-ocean ridge），意思就是「大洋中間的山脈」。

不只如此，有人還發現當地震波穿越中洋脊的裂口時，波速會從原本在一般地殼中的每秒6公里，減速到剩下每秒4公里。這種奇特的現象引起了海斯強烈興趣，戰爭結束後他回到普林斯頓大學地質系，還不斷研究中洋脊的地質特性。

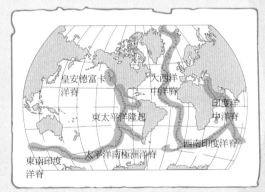

世界中洋脊的分佈圖。

海斯利用地震波探測中洋脊時發現：中洋脊周邊沉積物的厚度只有1公里左右，而遠離中洋脊的海底沉積物卻有2到3公里厚。

　　「奇怪，地球的年齡大約是45億年。如果根據前人研究的海洋沉積速率——每1000年沉積5公厘到20公分，就算用最慢的5公厘來算，45億年的海洋沉積物至少要有22.5公里厚呀！」海斯納悶不已。

　　「好吧，就算這裡的沉積物因為壓力和重量而厚度壓縮掉一半，至少也該有10到20公里的厚度。中洋脊附近的沉積物實在薄的不像話，除非……中洋脊附近的海洋地殼並不是45億年前就存在的，而是剛生成不久、很新很新的新地殼！」但是為什麼這裡會有如此年輕的地形？中洋脊又是怎麼來的？海斯知道自己需要更多的材料來進行進一步的研究。

　　在研究途中，海斯讀到了十八世紀末蘇格蘭地質學家赫頓的「火成說」相關文獻。赫頓曾說明岩漿會從地面的裂口湧出，冷卻後就形成新的岩石。這讓海斯聯想到，中洋脊的外形如此高聳，或許就是從裂口湧出岩漿大量冷卻，形成尖尖的外形，也難怪這裡的岩石年代會如此年輕。

　　接著，另外一篇關於赫姆斯的「地函熱對流學說」，幾乎幫他把火成說、地函和中洋脊的產生串連了起來。英國地質學者赫姆斯的「地函熱對流」模型指出，地函岩漿的熱對流會將上方的地殼「拉開」，產生一個能夠直接讓岩漿湧到地面的裂口。

上部地函充滿黏滯、柔軟、可以流動的熔融態岩石，也就是岩漿。

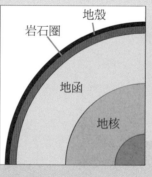

地殼
岩石圈
地函
地核

「啊哈！」讀到這兒，海斯恍然大悟的自言自語，「地震波通過中洋脊的裂口時，速度會從每秒6公里降到4公里，可能就是因為裂口裡全是高溫、柔軟的岩漿，震波在經過柔軟的介質時速度會驟降！」

「這代表中洋脊的裂口就是地函的岩漿出口，而岩漿噴出後形成新的岩石，難怪沉積物的厚度會這麼薄。一切都合理了！」興奮的海斯假設，中洋脊是因為海洋地殼受到地下岩漿熱對流而張裂，在裂開的過程中岩漿從地底湧出、冷卻、堆積，形成中洋脊高聳的山脈。

為了證明自己的想法，海斯覺得在中洋脊的上方，應該可以找到一個能偵測到高溫流體訊號的裂口；還有，在中洋脊周邊的礦物形成年代應該會是最接近現代，中洋脊周邊的化石也應該是最年輕的。

海斯依據上述想法開始調查相關的資料和證據，他發現：

❶ 在中洋脊頂端的裂口中，都有異常高溫的熱流訊號，這代表中洋脊的裂口底部是和地函互相連接的。

❷ 中洋脊附近的海洋地殼年齡在1000～2000萬年之間，比大陸地殼約10～25億年左右的年紀年輕許多。

❸ 中洋脊周邊的化石很少，就算有，也只有接近近代的生物種類。這證明，中洋脊周邊的岩石非常年輕，應該是由近代湧出的岩漿冷卻而成的。

經由這一系列的調查之後，海斯幾乎確認自己的理論是正確的！但是，對於「不斷製造新地殼」的中洋脊還有一個疑問，那就是——

「難道地表上的岩石，只會從中洋脊不斷湧出、冷卻、堆高，那中洋脊豈不是會無止境的長高，沒完沒了嗎？」在海斯的心裡，問號就像中洋脊的岩漿一樣不斷的湧現出來。

「對了…我記得赫姆斯的地函熱對流學說中，曾經預言地底的岩漿在將地殼拉開以後，應該也會在某個地方，把地殼『推』進地下。如果他的想法沒錯，我猜從中洋脊產生的岩石可能會不斷的移到兩側，然後從地表的另一端消失、隱沒入地球內部，而不會在地表上無限的增加！」

　　想到這裡，海斯又開始調查其他海底的地形。他發現，在南太平洋中洋脊兩側的遠處，各有一道狹長形的「海底深谷」；其中一邊緊貼在安地斯山脈的西側，另一邊則是位在紐西蘭島的東部外海。

　　後來在莎普（Marie Tharp，1920～2006）等人繪製的全球海底地形圖上，日本、臺灣等島嶼的東部外海和印尼、爪哇的西部外海，也都有這種被稱之「海溝」（Ocean Trench）的深海地形。而且，只要有海溝的地方，一旁都會有平行的狹長山脈或是火山群。

莎普和布魯斯‧希森（Bruce Heezen，1924～1977）合作繪製的全球第一張海底地形圖。

　　這讓海斯想到：「這些海溝的凹陷地形，會不會就是赫姆斯曾預言的岩石隱沒處呢？」在海斯的腦海裡出現一個生動的畫面——地殼底下的岩漿熱對流推動地殼，往兩側移動；地殼往兩側移動後撞到別的地殼時造成了擠壓、下沉，並在下沉處產生像是海溝這樣的深谷地形；在擠壓處，則出現了像山脈那樣的長條形隆起。

如果海溝與鄰近的山脈真的是地殼隱沒與推擠所造成的話，在海溝周邊應該可以找到長時間受到推力擠壓所形成的岩石，而且海溝邊的化石也應該會是海底最古老的。

後來，海斯進一步的分析再一次證明了他的預測是正確的。1962年，海斯以《海洋盆地的歷史》（History of Ocean Basins）為題目公開了他的跨時代發現，並提出了一個模型來解釋海洋地殼的誕生與消失，這就是後人所謂的「海底擴張學說」（Ocean Floor Spreading）。

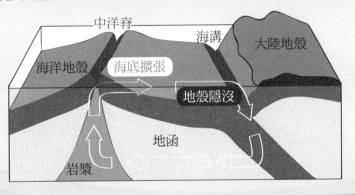

幸運的是，海斯的海底擴張學說問世後很快被其他地質學家認可。後輩的地質學者們甚至延續相關研究，發現地殼沒入地底的海溝處，不但經常有深層地震、火山爆發，還產生了一連串火山密集的「火環帶」（Ring of Fire，或稱「環太平洋火山帶」），包括我們臺灣島，也是環太平洋火山帶的一員。

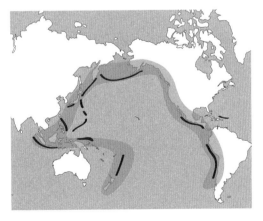

環太平洋火山帶分布。

另外，現代的科學家也發現：淺層地震是因為地函的熱對流推動地殼而引起的；東非大裂谷、冰島裂谷跟中洋脊一樣，都是這股力量在地表上留下的地形證據。

到這裡，韋格納的大陸漂移學說中不清不楚的大陸漂移動力，獲得了解釋；今日我們用來解釋地殼動態的「板塊構造學說」，也是由大陸漂移、地函熱對流和海底擴張學說融合而成。

可以說，海斯、赫姆斯還有帶著遺憾死去的韋格納，都是板塊構造學說的奠基者，他們一生為現代地質學做出卓越貢獻，幫助我們更加理解我們生於斯、長於斯的親愛地球！

快問快答

1 中洋脊的意思是「位在大洋中間的山脊」，意思是中洋脊也跟山一樣高嗎？

中洋脊相對於海底的高度大約是1000到3000公尺；脊頂的平均深度為2500到2700公尺，所以確實有如在大海中的山脈一般。

冰島位於板塊張裂處，因此擁有豐富的地熱資源喔。

有些中洋脊高聳的「山頂」甚至會突出海面，形成「島嶼」，像是「冰島」就是大西洋中洋脊的一部分，是少數能從陸地上觀察中洋脊的地點。

2 海洋是怎麼形成的？能用「海底擴張」來解釋大海的形成過程嗎？

地球的原始海洋是在幾十億年前形成的。原本年輕的地球溫度很高，「水」一直以氣體，而非液體的形式存在。隨著地球慢慢冷卻，大約在38億年前，地球上的水蒸氣才逐漸凝結成雨水，填滿了當時的大型盆地，形成了原始的海洋。

至於這個大盆地又是如何形成的呢？這就是「海底擴張學說」上場的時候了。剛開始，在大陸地殼的下方有股炙熱的岩漿往上衝，使大陸地殼向上隆起、開始產生裂縫。慢慢的，裂縫兩邊的地殼被岩漿的力量拉開、裂縫上方的岩塊下陷，形成一道凹陷的裂谷。

隨著這個裂谷慢慢被拉寬，加上雨水不斷累積在裂谷中，就形成一道狹窄、長條狀的原始海洋。在海洋中間不斷上升湧出的岩漿，也就形成中洋脊以及海洋地殼。如此不斷擴張以後，廣大的海洋盆地和中洋脊系統終於大功告成。

3 海底擴張會讓太平洋和大西洋一直變大嗎？

別忘了，雖然新的海洋地殼會不斷從中洋脊產生使海底擴張，但是舊的海洋地殼也會隱沒到大陸地殼之下方被破壞。這兩股力量是否能夠互相平衡，決定了海洋的未來會持續變大還是縮小。

比方說，目前大西洋的中洋脊以每年2到5公分的速度擴張中，太平洋則是7到15公分，比大西洋快了好幾倍。但是太平洋海洋地殼的隱沒速度比大西洋快上許多，兩者抵銷的結果反而是太平洋以每年0.5平方公里的速度在縮小，而大西洋卻在慢慢擴大。

科學家認為在遙遠的未來，太平洋有可能完全關閉，但是真實狀況會如何上演？還有待地球本身以漫長的時間向世人緩緩證明了。

雖然現在太平洋是地球第一大洋，但未來可就不一定了。

這樣我孫子的孫子的孫子……的地理課本，可就要大改版啦！

LIS影音頻道 ▶

【自然系列─地科｜海底擴張說】

海洋面積越來越大，世界會發生什麼事呢？

是誰在海底造山？是誰推動了大陸飄移？要是在地球面積固定的情況下，「它」不斷製造新的地殼，這樣無限擴張的地殼真的不會出問題嗎？

第20課

臭氧層破洞危機

羅蘭德

風 景明信片中的歐洲、美國，總是讓人聯想到秀麗的湖光山色、蔚藍天空以及乾淨、清新的空氣。但是事實上，自從十八世紀工業革命以來，這些地方都曾經發生非常嚴重的空氣汙染，像烏雲罩頂一樣籠罩在工業發達的城市上空，尤其在歐洲又特別嚴重。

一開始，歐洲人對於空氣汙染的態度非常「認命」。因為和過去的勞力時代比起來，工廠的生產速度比較快、比較省力，而且能製造更方便、更便宜的日常生活

把空氣汙染當成光榮也太誇張了吧！

用品。有些人甚至進一步把空氣汙染當作城市的光榮，因為這代表這座城市非常進步，而且人民的生活正在蓬勃發展與改善之中。

直到後來，幾次造成重大傷亡的嚴重空氣汙染事件在不同國家發生以後，大眾對於空氣汙染的心態，才終於開始慢慢改變。最早的一次要屬發生在1930年12月的比利時「馬斯河谷煙霧事件」。

平常，當地的20幾家工廠大量排放二氧化硫、氫氟酸和粉塵也就算了，那幾天卻遇上奇怪的天氣，使河谷被大霧籠罩，空汙無法散到上空，結果

比利時馬斯河谷工廠排放著黑煙。

慢慢累積在地表處，造成嚴重的酸性微粒汙染，成千上百的人身體不適、超過60個人死亡。不過當時人們並沒有記取教訓，之後在1952年的「倫敦煙霧事件」中，幾個月內不幸喪生的人數更高達1萬2000人。此後，人們開始明白乾淨

空氣的重要；知道在發展工業的同時，要儘量減少排放黑煙，使用無毒、無害、不會汙染空氣的化學物質。而一種人工合成的化合物「**氟氯碳化物**」就是在這種氣氛之下大受歡迎的明星產品。

氟氯碳化物在1928年被美國通用汽車公司和杜邦化學工業公司的一群優秀科學家合成出來，用在製造冷凍劑、噴霧的填充劑和塑膠等商品中。因為過去的冷凍劑不是易燃就是有毒，而「氟氯碳化物」卻無毒、無味、不易燃，化學性質又非常穩定，不容易和其他物質產生化學反應。這種夢幻商品很快受到大眾歡迎，成為全世界重要的化學產品前幾名，被人類大量生產、廣泛使用了好幾十年。

氟氯碳化物是一種混合氣體的統稱。這些混合氣體由氟、氯、碳原子組成，稱為Chlorofluorocarbons，簡稱CFCs。

不過萬萬沒想到，氟氯碳化物最後還是闖下大禍，遭到被全球禁用的命運。為什麼這麼穩定、安全、無毒又不隨便起化學反應的「模範生」會被全世界封殺呢？原來，在人類的活動範圍——**對流層**裡，它的確是很乖巧穩定的模範生；但是當它飛進十幾公里高、人類原本監測不到的**平流層**空氣中，它就搖身一變成為破壞狂。

這可要感謝來自美國的化學家羅蘭德（Frank Sherwood Rowland），如果不是他揪出這模範生在高空中的真面目，我們生活的這個世界不知道要被這種「裝乖」的氟氯碳化物踐踏成什麼樣子呢！

小心裝乖的模範生！

小心！氟氯碳化物的真面目

弗蘭克・舍伍德・羅蘭德
1927～2012
美國化學家

1927年，羅蘭德出生在一個書香世家，他的父親是美國衛斯理大學的數學教授，母親是拉丁文老師。因此，羅蘭德從小就在學術圈裡耳濡目染，長大後很自然而然的也往學術研究的方向發展。

只不過，在羅蘭德的求學生涯之中，遇上了一件國家大事，那就是美國被捲入第二次世界大戰。所以羅蘭德在大三時曾經停下學業，進入美國海軍報效國家2年，然後才回到學校完成學業。如果要問這段特殊的際遇，給羅蘭德帶來什麼人生體驗？那就是羅蘭德在戰爭中學習到，人的所學所為要能為國家人民帶來貢獻，如果有幸能為保衛人命盡一份心力，那將是人們一生至高無上的榮譽。

後來，羅蘭德以優秀的成績進入了當時在化學領域有名的強校——芝加哥大學化學研究所，並在獲得諾貝爾化學獎的利比（Willard Frank Libby，1908～1980）教授門下，專攻光化學和放射性物質的化學研究。

羅蘭德取得博士學位之後，到美國幾間大學裡擔任助理或博士後研究人員，最後在加州大學爾灣分校拿到教職，開始在大氣化學的領域中嶄露頭角。

1974年，一位重要人物進入了羅蘭德的研究生涯，那就是年輕的博士後研究員——墨西哥化學家莫利納（Mario José Molina-Pasquel Henríquez，1943～2020）。莫利納進入羅蘭德的研究室後，除了偶爾幫忙光化學和放射性化學

瑪利歐‧何塞‧莫利納‧帕斯克爾‧亨里克斯
1943～2020
墨西哥化學家

的實驗之外，最主要的工作就是協助羅蘭德研究平流層、臭氧層、溫室氣體等等跟大氣相關的化學領域的主題。

其實早在3年前，英國的大氣化學家洛弗拉克（James Ephraim Lovelock，1919～2022）就曾經在大西洋上空發現了高濃度的「氟氯碳化物」。洛弗拉克認為，這代表氟氯碳化物的確非常穩定，才有辦法直直飄進高空中，**不被低海拔、對流層中的光線或其他環境因子分解；**未來如果能夠證明，氟氯碳化物在更高的「平流層」也不會被分解，就能夠利用氟氯碳化物在高空中的分佈位置，來了解大氣層中空氣的流動方向了。這個主題引起了羅蘭德的高度興趣，因此羅蘭德開始投入「氟氯碳化物」相關的研究，從此與氟氯碳化物結下不解之緣。

這種人造的化學分子挺有趣的嘛……

羅蘭德

不過，羅蘭德當然不可能到平流層那麼高的高空中去做實驗，所以他架設了一個充滿紫外線、溫度只有攝氏2度的反應容器來模擬平流層的環境，再把氟氯碳化物和平流層中常見的氣體放進去，以便透過「模擬實驗」來確認，氟氯碳化物在平流層的高空中，會不會發生化學反應？

結果，很令羅蘭德詫異。

「天哪，氟氯碳化物減少了一點點，但是怎麼跑出這麼多含『氯』的氣體呢？」這裡羅蘭德所説的含氯氣體，包括了氯氣、氧化氯、一氧化二氯、氯化氫等等。

「這些氯，會不會都來自氟氯碳化物？換句話説，**氟氯碳化物被分解了，再與環境中的其他氣體起化學反應！**怪了，這跟以往科學家們以為的『氟氯碳化物不容易產生化學反應』一點也不一樣耶！」羅蘭德感到又興奮、又疑惑。

有一天，羅蘭德想起有人曾經發現：氣態的**氮氧化物**在吸收了紫外線以後，能快速的與大氣中一些穩定、不容易產生反應的氣體（例如甲烷）產生反應。羅蘭德心想，或許他實驗中的氟氯碳化物也是因為吸收了紫外線，才從穩定的氣體變成會與別人產生化學反應的狀態。

羅蘭德假設：原本性質穩定的氟氯碳化物在吸收紫外線以後，會產生出氯原子；這些氯原子非常容易發生化學反應，它們會快速與平流層中的「臭氧」（化學式為O_3）結合，再分裂成氧氣（O_2）和含氯氣體。

心動不如行動，羅蘭德將空氣中常見的氮氣、氧氣、水蒸氣、氮氧化合物和甲烷等5種氣體，分別放進模擬反應容器中。結果，不但這5個反應容器內的氟氯碳化物都減少了，也都分別產生了含氯化合物、大量的氯氣和氯化氫。

後續經過一連串的思考、討論和實驗，羅蘭德終於做出結論！那就是只要有一點點的氟氯碳化物被紫外線分解，分解產生的氯原子就能一次又一次的和它們接觸到的氣體進行化學反應，自己卻不會被消耗掉；換句話說，氟氯碳化物在充滿紫外線的平流層，會造成非常巨大的破壞！

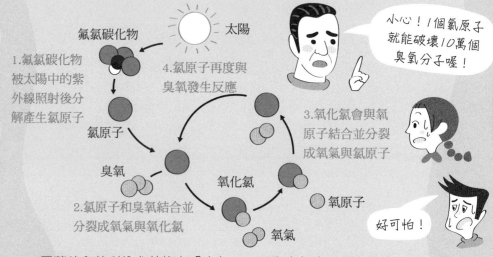

太陽

氟氯碳化物

1.氟氯碳化物被太陽中的紫外線照射後分解產生氯原子

氯原子

臭氧

4.氯原子再度與臭氧發生反應

2.氯原子和臭氧結合並分裂成氧氣與氧化氯

氧化氯

氧氣

氧原子

3.氧化氯會與氧原子結合並分裂成氧氣與氯原子

小心！1個氯原子就能破壞10萬個臭氧分子喔！

好可怕！

羅蘭德和莫利納尤其擔心「臭氧」。因為臭氧會吸收太陽光中部分的紫外線，所以氟氯碳化物在升高到臭氧層的高度之前，比較不容易遇到紫外線，也可以保持穩定不和其他氣體發生反應。但是一旦它們到達了平流層中的臭氧層，開始遇到這些紫外線以後，就會「大開殺戒」把臭氧破壞個精光。

假如臭氧層被分解掉的話，陽光中有害的紫外線將會長驅直入，從臭氧層的破洞直接照射到地面，讓地面上的人類罹患皮膚癌、白內障或其他病變！所以，身為一個憂國憂民的知識份子，羅蘭德在1974年公開發表了他和莫利納的研究成果，把這份對全世界都造成威脅的潛在危機，明明白白的公諸於世。

羅蘭德和莫利納的報告，在科學界引起一片譁然。只可惜的是，當時的研究技術還沒有辦法讓羅蘭德完全模擬自然界中的真實狀況，來直接證明他的假說正確無誤，因此保留了讓人質疑的空間。

像是大量生產、販賣氟氯碳化物的美國杜邦化學工業公司，就強烈的抨擊羅蘭德，說他的研究結果是「天馬行空、惡意使工業停滯的幻想」。這些財大氣粗的大公司，甚至動用資本的影響力，試圖在學界與政治界打壓羅蘭德。但是，這些排山倒海而來的威脅都無法動搖羅蘭德捍衛真理與保衛世人的決心。

終於在1976年，一架帶著「臭氧總量觀測儀器」的衛星，觀測到南極上空出現臭氧層的「破洞」。可惜當時的計算方法被認為有誤差，觀測結果沒有受到肯定。

媽呀，好大的破洞。

臭氧層的破洞大小有時甚至超過了整個南極洲。

1985年，英國南極勘測局的科學家在南極洲的上空發現了臭氧層的破洞，也研究出造成這個破洞的原因，確實是數十年以來大量累積在平流層的氟氯碳化物所造成的！

這個觀測結果直接證實了羅蘭德的說法，也讓可惡的杜邦公司被打臉，從此啞口無言。因此——

1985年，20國簽定保護臭氧層的《維也納公約》。

1987年，43國簽定《蒙特婁議定書》，逐步削減、禁用氟氯碳化物。

1993年，杜邦公司關閉氟氯碳化物生產工廠。

1995年，羅蘭德、莫利納等人獲得諾貝爾化學獎。

就這樣，地球的臭氧層在羅蘭德、莫利納和其他研究團隊的努力下獲得喘息，並且在禁用氟氯碳化物的十幾年後慢慢恢復生機。最近，科學家發現存在幾十年之久的南極臭氧層破洞，已經慢慢開始縮小，甚至有可能在2050年「痊癒」，回到過去沒有破洞以前的正常模樣。

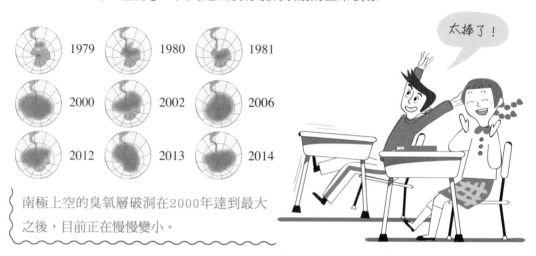

太棒了！

南極上空的臭氧層破洞在2000年達到最大之後，目前正在慢慢變小。

這是人類自己戰勝自己的時刻。過去的人類自己闖下大禍，就由後來的人類想出辦法自行解決。

古代的地球科學家，只需要釐清大自然的現象是如何生成、如何運作、如何影響人類，但現代的地球科學家除了研究大自然的真相之外，還要忙著監控一大堆我們人類自己製造的問題，像是全球暖化、雨林消失、海洋酸化、生物多樣性降低、草原沙漠化等等。他們不斷的吹響號角警告人類，並且想破頭提出解決辦法。

或許現在我們面臨的環境問題，終有一天能像臭氧層破洞一樣得到解決；也或許問題會持續惡化直到澈底的改變人類的生活，但唯一可以確定不會改變的是，地球上總會有那麼一群人會持續的關心地球，把關環境變化、拯救人類問題、憂國憂民憂天下……你猜到那是誰了嗎？嘿嘿，沒錯，那就是跟我們一樣居住在這個地球上的地、球、科、學、家！

快問快答

1 氟氯碳化物除了會會破壞臭氧，還有什麼影響嗎？

氟氯碳化物其實也是一種非常強烈的「溫室氣體」喔！在1970年代之前，人們普遍認為二氧化碳是造成全球暖化唯一的溫室氣體，但來自美國科學家拉馬納森（Veerabhadran Ramanathan，1944～今天）在受到羅蘭德的研究啟發後，結合自己過去研究行星大氣的經驗，發現氟氯碳化物竟然是一種比二氧化碳強上1萬倍的溫室氣體，只需要相當少的數量就能加劇全球暖化。

這傢伙怎麼這麼能找麻煩！

維拉布哈德蘭・拉馬納森
1944～今天
美國大氣科學家

這項研究成果在1975年發表後引起非常大的迴響，不僅幫助人們更全面的理解全球暖化，也促使人們開始關注四氯化碳、甲烷、一氧化二氮等，在大氣中含量雖少但是威力更甚二氧化碳的溫室氣體，更推了1987年《蒙特婁議定書》的簽定一把。

2 人類可以在地面製造、排放臭氧，讓它們飛到高空填補臭氧層嗎？

千萬不可呀！事實上，人類在地面早已不知不覺中製造了過多的臭氧，只不過這些臭氧不是「救星」，而是「汙染」！

在汽車和工廠排放的廢氣裡，有很多氮氧化物和揮發性有機物，這兩類物質在陽光照射下會和空氣中的氧氣反應形成臭氧。而臭氧對人體來說是一種刺激性氣體，濃度太高就會傷害眼睛、呼吸系統、中樞神經，造成頭痛、胸痛，以及其他健康問題。

不過，臭氧的強氧化力可以破壞細菌、病毒以及一些有機物，達到消毒、除臭的效果。在大自然中，閃電的能量也會使空氣中的氧氣轉變為臭氧，因此雷雨過後的空氣總是讓人感到特別清晰。所以說，臭氧怎麼產生、待在哪裡，造成的效果可大不相同！

下課後的空氣也令人感覺特別清新。

下課了～喲呼～

LIS影音頻道

【自然系列—地科｜臭氧層破洞】默默保護地球的守護者即將被攻破？

化學技術的進步帶來無數方便、便宜又無毒的商品，但在日常使用中無害的產品，真的就是百分之百沒有危險嗎？且看研究大氣層的羅蘭德怎麼揪出地球的隱形殺手！

 附錄

本套書與十二年國民基本教育自然領域課綱學習內容對應表

　　地球科學是一門建立在物理、化學的基礎上，延伸應用在研究環境變化的學問，個中更涵蓋了數學、地理學、天文學、海洋學、氣象學等跨領域研究，綜觀歷史上地球科學家的成就，這般自其他領域得到啟發而有所突破的案例不勝枚舉。本套書主要介紹了地球科學理論的演進脈絡，以及眾多科學家不畏艱難、前仆後繼探究真理的研究歷程，特別適合國小高年級及國中年段的孩子閱讀，亦可與學校的課程相互配搭，必可獲得前所未有的學習樂趣。

國民小學教育階段高年級（5-6年級）

課綱主題	跨科概念	能力指標編碼及主要內容	本書對應內容
自然界的組成與特性	物質與能量（INa）	INa-Ⅲ-2 物質各有不同性質，有些性質會隨溫度而改變。	下冊 氣壓：P39
		INa-Ⅲ-4 空氣由各種不同氣體所組成，空氣具有熱脹冷縮的性質。氣體無一定的形狀與體積。	上冊 空氣受熱膨脹：P96～99 下冊 氣壓：P39
		INa-Ⅲ-8 熱由高溫處往低溫處傳播，傳播的方式有傳導、對流和輻射，生活中可運用不同的方法保溫與散熱。	上冊 大氣的熱對流：P96～99 下冊 氣壓：P39 熱輻射：P50～54
	構造與功能（INb）	INb-Ⅲ-8 生物可依其形態特徵進行分類。	上冊 舌石：P65～67
	系統與尺度（INc）	INc-Ⅲ-1 生活及探究中常用的測量工具和方法。	上冊 地球周長：P26
		INc-Ⅲ-6 運用時間與距離可描述物體的速度與速度的變化。	下冊 岩層斷裂變化：P77～80 震波速度：P92

課綱主題	跨科概念	能力指標編碼及主要內容	本書對應內容
	系統與尺度（INc）	INc-Ⅲ-13 日出日落時間與位置，在不同季節會不同。	上冊 夏至：P26
		INc-Ⅲ-15 除了地球外，還有其他行星環繞著太陽運行。	上冊 日心說與地心說：P40、51〜53
自然界的現象、規律與作用	改變與穩定（INd）	INd-Ⅲ-5 生物體接受環境刺激會產生適當的反應，並自動調節生理作用以維持恆定。	下冊 木材年輪：P111
		INd-Ⅲ-7 天氣圖上用高、低氣壓、鋒面、颱風等符號來表示天氣現象，並認識其天氣變化。	上冊 鋒面雨：P139〜141
		INd-Ⅲ-8 土壤是由岩石風化成的碎屑及生物遺骸所組成。化石是地層中古代生物的遺骸。	上冊 舌石：P65〜68 下冊 化石地理分布：P110〜111
		INd-Ⅲ-9 流水、風和波浪對砂石和土壤產生侵蝕、風化、搬運及堆積等作用 河流是改變地表最重要的力量。	上冊 地球大熱機：P127
		INd-Ⅲ-11 海水的流動會影響天氣與氣候的變化。氣溫下降時水氣凝結為雲和霧或昇華為霜、雪。	下冊 聖嬰現象：P121〜125
	交互作用（INe）	INe-Ⅲ-12 生物的分布和習性，會受環境因素的影響；環境改變也會影響生存於其中的生物種類。	下冊 盤古大陸生物分布：P110〜112
自然界的永續發展	科學與生活（INf）	INf-Ⅲ-2 科技在生活中的應用與對環境與人體的影響。	下冊 氣壓計：P35 工業廢氣：P47、53、143
	資源與永續性（INg）	INg-Ⅲ-4 人類的活動會造成變遷，加劇對生態與環境的影響。	下冊 溫室氣體：P52〜54 氟氯碳化物：P147〜149
		INg-Ⅲ-7 人類行為的改變可以減緩氣候變遷所造成的衝擊與影響。	下冊 溫室氣體：P52〜54 氟氯碳化物：P147〜149

國民中學教育階段（7-9年級）

課綱主題	跨科概念	能力指標編碼及主要內容	本書對應內容
物質的組成與特性（A）	物質的形態、性質及分類（Ab）	Ab-Ⅳ-2 溫度會影響物質的狀態。	上冊 空氣熱漲冷縮：P96〜97 熔解玄武岩：P128 下冊 空氣熱漲冷縮：P39
能量的形式、轉換及流動（B）	能量的形式與轉換（Ba）	Ba-Ⅳ-1 能量有不同形式，例如：動能、熱能、光能、電能、化學能等，而且彼此之間可以轉換。孤立系統的總能量會維持定值。	下冊 太陽熱輻射：P54

課綱主題	跨科概念	能力指標編碼及主要內容	本書對應內容
能量的形式、轉換及流動（B）	溫度與熱量（Bb）	Bb-IV-3 不同物質受熱後，其溫度的變化可能不同，比熱就是此特性的定量化描述。	上冊 海陸溫差：P98～99 海風與陸風：P102
		Bb-IV-5 熱會改變物質形態，例如：狀態產生變化、體積發生脹縮。	上冊 空氣的熱漲冷縮：P96～99 熔解玄武岩：P128
物質系統（E）	宇宙與天體（Ed）	Ed-IV-1 星系是組成宇宙的基本單位。	上冊 星系：P114～116
		Ed-IV-2 我們所在的星系，稱為銀河系，主要是由恆星所組成；太陽是銀河系的成員之一。	上冊 銀河系結構：P112
地球環境（F）	組成地球的物質（Fa）	Fa-IV-2 三大類岩石有不同的特徵和成因。	上冊 沉積岩：P61～69 水成論：P121 火成論：P125～128
		Fa-IV-3 大氣的主要成分為氮氣和氧氣，並含有水氣、二氧化碳等變動氣體。	下冊 氣體吸收熱輻射能力：P52
		Fa-IV-4 大氣可由溫度變化分層。	下冊 大氣分層：P66～67
	地球與太空（Fb）	Fb-IV-1 太陽系由太陽和行星組成，行星均繞太陽公轉。	上冊 日心說、地心說：P40、P51～53
		Fb-IV-3 月球繞地球公轉；日、月、地在同一直線上會發生日月食。	上冊 月食：P21 月相：P35
		Fb-IV-3 月相變化具有規律性。	上冊 月相：P35
地球的歷史（H）	地層與化石（Hb）	Hb-IV-1 研究岩層岩性與化石可幫助了解地球的歷史。	上冊 斯蒂諾沉積定律：P68～70
		Hb-IV-2 解讀地層、地質事件，可幫助了解當地的地層發展先後順序。	上冊 斯蒂諾沉積定律：P68～70 赫頓剖面：P126～127 下冊 彈性回跳理論：P77～80
變動的地球（I）	地表與地殼的變動（Ia）	Ia-IV-1 外營力及內營力的作用會改變地貌。	下冊 地殼張裂：P115
		Ia-IV-2 岩石圈可分為數個板塊。	下冊 大陸：P109～115
		Ia-IV-3 板塊之間會相互分離或聚合，產生地震、火山和造山運動。	下冊 地殼位移：P136～137 中洋脊：P134～137
		Ia-IV-4 全球地震、火山分布在特定的地帶，且兩者相當吻合	下冊 火環帶：P137

課綱主題	跨科概念	能力指標編碼及主要內容	本書對應內容
變動的地球（I）	天氣與氣候變化（Ib）	Ib-IV-2 氣壓差會造成空氣的流動而產生風。	下冊 氣壓差：P39
		Ib-IV-3由於地球自轉的關係會造成高、低氣壓空氣的旋轉。	上冊 低緯度盛行風向：P97〜99 下冊 地球自轉影響風向：P40〜41
		Ib-IV-4 鋒面是性質不同的氣團之交界面，會產生各種天氣變化。	上冊 鋒面：P139〜141
	海水的運動（Ic）	Ic-IV-2 海流對陸地的氣候會產生影響。	下冊 聖嬰現象：P121〜125
		Ic-IV-4潮汐變化具有規律性。	上冊 潮汐：P81〜87
	晝夜與季節（Id）	Id-IV-1夏季白天較長，冬季黑夜較長。	上冊 夏至：P26
自然界的現象與交互作用（K）	波動、光及聲音（Ka）	Ka-IV-3 介質的種類、狀態、密度及溫度等因素會影響聲音傳播的速率。	下冊 地殼與地涵：P92〜93 地核：P100〜102
		Ka-IV-6 由針孔成像、影子實驗驗證與說明光的直進性。	上冊 地圓說：P22 地球周長：26
生物與環境（L）	生物與環境的交互作用（Lb）	Lb-IV-2 人類活動會改變環境，也可能影響其他生物生存。	下冊 溫室氣體：P52〜54 氟氯碳化物：P147〜149
科學、科技、社會與人文（M）	科學發展的歷史（Mb）	Mb-IV-2 科學史上重要發現的過程，以及不同性別、背景、族群者於其中的貢獻。	上下兩冊全
	環境汙染與防治（Me）	Me-IV-4 溫室氣體與全球暖化。	下冊 溫室氣體：P52〜54、56
全球氣候變遷與調適（跨科主題）	能量的形式與轉換（Ba） 溫度與熱量（Bb） 生態系中能量的流動與轉換（Bd） 生物與環境的交互作用（Lb） 科學、技術及社會的互動關係（Ma） 環境汙染與防治（Me） 氣候變遷之影響與調適（Nb）	INg-IV-1 地球上各系統的能量主要來源是太陽，且彼此之間有流動轉換。	下冊 太陽熱傳遞：P50、54
		INg-IV-2 大氣組成中的變動氣體有些是溫室氣體。	下冊 溫室氣體：P52〜53、56
		INg-IV-3 不同物質受熱後，其溫度的變化可能不同。	上冊 海陸溫差：P96〜99
		INg-IV-7 溫室氣體與全球暖化的關係。	下冊 溫室氣體與全球暖化：P52〜54
		INg-IV-8 氣候變遷產生的衝擊是全球性的。	下冊 溫室氣體與全球暖化：P52〜54
		INg-IV-9 因應氣候變遷的方法，主要有減緩與調適兩種途徑。	下冊 溫室氣體與全球暖化：P52〜54 臭氧層破洞：P147〜150

名詞索引

依筆劃、注音順序、字數排列

圖片來源

（ＯＯ少年知識家）

科學史上最有梗的20堂地科課（下）
25部LIS影片 讓你秒懂地科

作者｜胡妙芬、LIS情境科學教材
繪者｜陳彥伶

責任編輯｜曾柏諺
美術設計｜丘山
行銷企劃｜王予農

天下雜誌群創辦人｜殷允芃
董事長兼執行長｜何琦瑜
兒童產品事業群
副總經理｜林彥傑
總編輯｜林欣靜
版權主任｜何晨瑋、黃微真

出版者｜親子天下股份有限公司
地址｜台北市104建國北路一段96號4樓
電話｜（02）2509-2800　傳真｜（02）2509-2462
網址｜www.parenting.com.tw
讀者服務專線｜（02）2662-0332　週一～週五：09:00~17:30
傳真｜（02）2662-6048　客服信箱｜parenting@cw.com.tw
法律顧問｜台英國際商務法律事務所・羅明通律師
製版印刷｜中原造像股份有限公司
總經銷｜大和圖書有限公司　電話：（02）8990-2588

出版日期｜2022年9月第一版第一次印行

定價｜400元
書號｜BKKKC215P
ISBN｜978-626-305-298-7（平裝）

訂購服務 ─────────────────────────
親子天下Shopping｜shopping.parenting.com.tw
海外・大量訂購｜parenting@cw.com.tw
書香花園｜台北市建國北路二段6巷11號　電話（02）2506-1635
劃撥帳號｜50331356 親子天下股份有限公司

國家圖書館出版品預行編目資料

科學史上最有梗的20堂地科課：25部LIS影
片讓你秒懂地科／胡妙芬、LIS情境科學教材
文；陳彥伶圖
-- 第一版. -- 臺北市：親子天下股份有限公司
, 2022.09
　下冊；18.5*24.5 公分
ISBN 978-626-305-298-7(下冊：平裝)

1.CST: 地球科學 2.CST: 通俗作品

350　　　　　　　　　　　　111012054

立即購買 >